土が決め手の泥試合

戦車はみんな泥だらけ●じゃあその泥はどんな色、どうやって塗るの!?

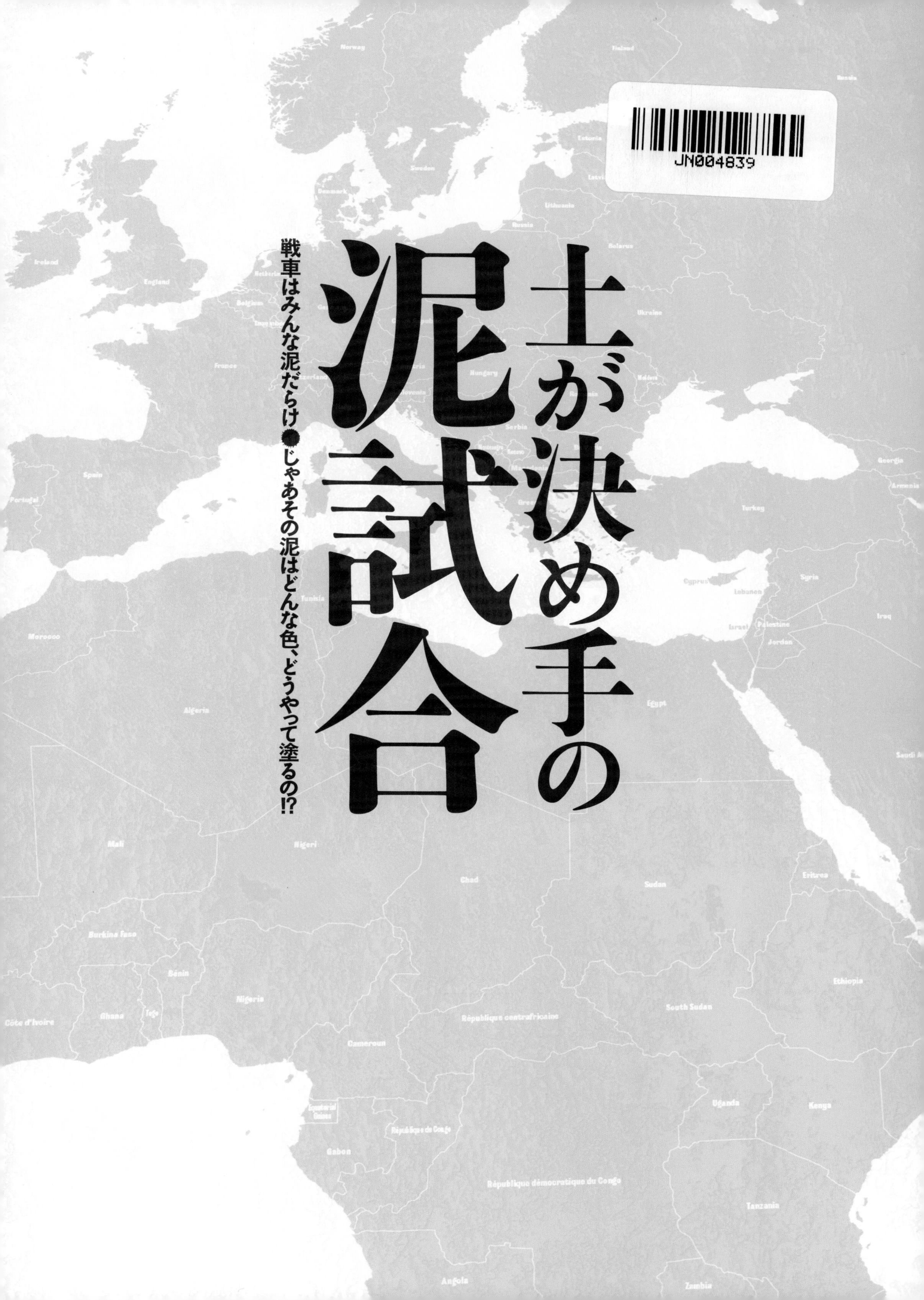

Photo by MathKnight

INDEX

本書は月刊『アーマーモデリング』2019年6月号『土が決め手の泥試合』を元に再編集や加筆修正を行ないまとめたものです。

▲ミグ（写真右から2番目）と開発チームのミーティングの様子。
アモミグの製品開発はこのように行なわれているのだ。

▼アモミグの製品たち。日本の市場でも手に入りやすくなり、
AFVモデラーには欠かせないマテリアルとなっている。

土のマテリアルを開発する
トップAFVモデラーミグ・ヒメネス

私はこれまで25年にわたりモデリング用の塗料およびエフェクト用マテリアルの開発に携わっており、この分野でもっとも経験と知識を持つモデラーのひとりであると自負している。そして、その模型製作への情熱（いまも失っていない!）をビジネスとして成り立つ事業に変えることを決意した。時間はかかったが、今ではウェザリング用マテリアル業界をリードする地位を築くことができたと思っている。モデラーの塗装作業を容易にし、作品のクオリティとリアルさを向上させるための製品開発は、自分が長年貫き続けてきたモデリングスタイルと哲学に基づいて行なわれている。また、単にシステム化をはかり作業を容易にするだけではなく、さまざまな色味や表現に特化した製品も用意しており、ダストエフェクト用のピグメントや泥汚れや泥跳ねを表現するスプラッシュシリーズなどは世界中のモデラーから高く評価を受けている。

エフェクトごとに展開される各製品は、内容物の構成や使用方法は異なるものの、開発初期段階のアイデアは非常に似ている。その塗料が通常モデラーが使用する手法と手順の一部になること、とくに複雑な効果を再現する際に使用できるようになること、を基本的な狙いとしている。

'90年代には、ピグメントをウェザリングに使用するというアイデアが登場した。当時車両にエイジングを施す、という表現が広まり始めたばかりで、作品に埃汚れを加える人はほとんどいなかった。また、それを思いついたモデラーたちは美術用のパステルを削り、非常に濃いピグメントを作らなければならなかった。つまり、より洗練された粉末顔料を使用するというアイデアは埃汚れを表現するための理想的な答えであり、AFV製作のニーズに適合した色を開発し、使用する方法をモデラーに説明するだけで十分となった。このアイデアの大成功により、いまでは埃汚れを施していないAFV作品をみることは非常に稀となった。開発における最大の難点は、モデラーが望む色を得るために色合いを混合し、ごく微細なミクロの粉末を得るために圧縮することであった。この過程により最終的に製品を高価にしてしまったのだが、その品質の高さは使用してもらうことできっとおわかりいただけることだろう。

ピグメントと同じくアモの代表的なウェザリングマテリアルとなるスプラッシュとヘビーマッドシリーズ。これらの開発経緯はとても似ていた。作品に泥汚れを施すことは一般的となっていたが、自然に見えリアルなウェザリングを施せるモデラーはごく少数だった。なぜなら、このテクニックはまるで錬金術のように正確な量でさまざまな成分を混合しなければならず、さらに数回にわたって繊細にテストしてから作業しなければならないためだ。そこで私は長年の経験から得られた、もっとも一般的な乾いた泥と湿った泥の色に適したテクスチャーや塗料濃度・明度を作り、それらをミックスした塗料を開発することで、モデラーがこの塗装表現を簡単に行なえる製品を作り出した。これに適した正しい製法の開発はピグメントよりもずっと複雑だった。その製法の重要な鍵を見つけるテストは何か月も必要となったがついに成功し、今日では多くのモデラーが迅速にかつリアルな泥汚れを再現可能となったのだ。テストを重ねたこの結果と製品を私たちはとても誇りに思っている。

通常、アモの新製品のアイデアはモデラーチームと経営陣との間でさまざまな実施方法を検討し、比較検討することによって展開される。最良の方法が見つかれば、製造部が研究していくつかのサンプルを準備する。そして私が個人的に依頼したモデラーのチームが、各サンプルの良いところと悪いところとに注目し、考えられるすべての効果と適用方法を厳しくテストするプロセスを開始する。そこから得られた情報をもとに、ラボでは次のサンプルを改良し、最終的に販売できる製品になるまでテストを繰り返すのだ。

このプロセスは私がアモという会社組織を経営するなかで、最も愛しそして熱の入る工程である。まさにエキサイティングな冒険中の探索のようなものなのだ。世界中のモデラーがアモ製品を愛用してくれていること、それは私の開発目的が間違っていなかったことを証明していると思う。開発プロセスは容易ではなく時間やお金もかかる。しかし、世界中でアモの製品を使い仕上げられた作品をみることが、我々が製品開発を行なう原動力となっている。彼らの作品群こそが、我々の研究の結晶ともいえるのである。

ミグ・ヒメネス

AFVモデラーの土との上手な付き合い方

戦車の足周りになにげなく施してしまいがちな土汚れ。しかし、よりリアルな仕上がりを目指そうとするほどに、その奥深さとおもしろさに魅了される技法のひとつでもある。実感豊かな土汚れを目指すため、土の専門研究者からじっくり世界の土を学び、新たな土表現へのドアを開こう!

この本では地球上の土を12種類に分けて考えています

世界のあらゆる風景を彩る重要な要素、土。ふたつとして同じものはない。それゆえにモデラーに自由という難題を課してくる。しかし、世界中の土を調べた研究者たちによって、土はただのカオスではなくその成り立ちに法則性があることがわかった。それは「土壌の材料となる岩石(地質)や地形、気候、生物、時間という5つの環境条件によって、土も変化する」という原則だ。5つの環境条件が似ていると類似の土が発達する。その類似する土どうしをグループ化していくと、地球上の土は12種類にまで簡略化して分類することができる。

12種類の土の違いは、砂、粘土、腐植の混合比率や、それぞれの性質の違いを反映している。黒いものや赤いもの、粘り気のあるものやサラサラしたもの、湿り気を帯びているものや乾ききったもの、といった具合に私たちは土の色や手触りの違いを感じ取り、地域によって土が違うことを知っている。しかし、そこには一定の規則性があり、地域の気候、植生、地質の違いからどのような土が分布するのかを推定することも可能となる。本書ではこの12種類の土の違いに注目し、地域ごとの特徴とその正しい色味について詳細に解説を進めていく。

12種類の土のハナシ

①粘土集積土壌
砂の多い表土と粘土の多い下層土の二層構造を持つ。フランスなど地中海沿岸のブドウ、オリーブの栽培が盛んな肥沃な土。乾燥した季節を持つ地中海性気候やサバンナ気候に多い。

②強風化赤黄色土
東南アジアの熱帯雨林に多い、酸性な粘土の多い土。伝統的には焼畑農業だが、現在はパイナップル、バナナ、油ヤシ農園が多い。

③オキシソル
強風化赤黄色土よりも長い風化の末にアルミニウムや鉄のさびが残った土。オキシは酸化物、ソルは土の意味。南米とアフリカ中央平原に多い。

④ポドゾル
ロシア語で「灰のような土」の意味。微生物の放出する有機酸によって砂だけが残った上層と、溶け出した金属成分が再び析出し赤褐色の粘土として沈着した下層とにわかれている。北欧や北米に多い。

⑤黒ボク土
火山灰由来の粘土と結合した腐植に富む。歩くとボクボクいうことから黒ボク土（くろぼくど）と呼ばれる。日本、ニュージーランド、フィリピンやインドネシアジャワ島の高標高地帯に局在する。

⑥ひび割れ粘土質土壌
乾燥するとひび割れを起こすほどに粘土の割合の高い土壌。インドのデカン高原、エチオピア高原などの玄武岩台地に局在する。

⑦チェルノーゼム
乾いた草原の下の黒土。腐植に富み、中性。土の皇帝と呼ばれる肥沃な土。ロシア南部からウクライナ、ハンガリー、アメリカの大平原、アルゼンチンなど世界の穀倉地帯に分布する。

⑧若手土壌（褐色森林土）
未熟土からやや風化が進んだ腐植と粘土に富む土。日本では褐色森林土と呼ばれる。

⑨泥炭土
水浸しで植物遺体が未分解で堆積。北米や北欧の湖沼周辺に多く、日本なら釧路湿原、尾瀬ヶ原、弥陀ケ原などの湿地帯に分布する。

⑩永久凍土
夏でも解けない氷の層がある土。北極を取り囲む大陸性気候のアラスカ、カナダ北部、シベリアに分布する。北欧には少ない。

⑪未熟土
すべての土のはじまり。岩石が風や雨の作用で風化し、土へと移り変わっていく最初の段階。

⑫砂漠土
乾燥地、とくに砂漠地帯に見られる土壌。塩分が多く溶ける地下水の影響で、塩類が集積し固い土（クラスト）を生み出すこともある。

そもそも土って??

土とは「岩の分解した砂・粘土と死んだ動植物遺体の腐敗したもの（腐植）の混ざったもの」と定義される。月には砂はあるが粘土と腐植がなく、火星には砂と粘土はあるが腐植がない。地球上では岩石が水や酸素、そして生物の働きによって分解され風化していくことで、砂が土へと変化していく。我々が学校の授業で習っていた玄武岩や花崗岩こそ、土の元の姿なのである。岩に含まれる鉄（青灰色）が酸化する（さびる）と赤色や黄色となり、白色の砂とともに土を染める。ここに黒色の腐植が加わる。その名は、腐った植物に由来している。腐植には植物だけではなく、植物によって生かされた動物や微生物の遺体も含まれている。これらの生物遺体が原型を留めないほどに分解され、腐葉土、そして腐植となる。黒い腐植、白い砂、粘土の中の黄色や赤色の鉄さびの混合比によって土の色、そして土の質感が決まる。

たとえば温暖・湿潤で自然豊かな日本では腐植が多く、土壌は褐色～黒色になりやすい。逆に中東のような乾燥した地域では腐植や粘土が少なく、砂の多い白い土となりやすい。熱帯地域では腐葉土を分解する微生物の活動が活発で腐植の色は弱い。鉄さび粘土は高温では鮮やかな黄色や赤色になりやすく、とくに乾季のある地域では赤みが強くなる。

さて、ここまで土の基礎知識を整理したが、これを理解することがモデラーにとってどんな利点があるのだろうか。戦車の走る地面は何色だろうか、戦車を汚す土は何色だろうか。ときには白黒写真をもとに現場を推測する。答えはひとつではないとはいえ、難しい選択を迫られることも多い。本書では地域ごとの色について詳細な解説を進めていく。その土地柄や風土を理解し、なぜその地域の土の色がそうなっているのかを考えながら塗装色の選択を行なうことで、よりその情景に深みが出てくるはずだ。東ヨーロッパ、とりわけウクライナ（キエフやハリコフ）のような農業の盛んな土地では土の色は黒い。こうした肥沃な土地の獲得も、ドイツが第二次世界大戦に踏み切るきっかけのひとつになっていたのである。その車両の作戦状況や描く情景のなかで、まさに土の色こそがそれを雄弁に語りかけてくれるのである。

藤井一至 Kazumichi Fjii

1981年富山県生まれ。京都大学農学研究科博士課程修了。博士（農学）。京都大学研究員、日本学術振興会特別研究員を経て、国立研究開発法人 森林研究・整備機構 森林総合研究所 主任研究員。カナダ極北の永久凍土からインドネシアの熱帯雨林までスコップ片手に世界各地、日本の津々浦々を飛び回り、土の成り立ちと持続的な利用方法を研究している。
第1回日本生態学会奨励賞（鈴木賞）、第33回日本土壌肥料学会奨励賞、第15回日本農学進歩賞受賞。関西学生王将（2003）の側面も持ち、過去には、土の研究者とプロ棋士への道で迷ったこともあるという。

本書で対応する模型用塗料

本書では多種多様なウェザリング向けの塗料があるなかでも、色数、再現度の高さ、入手性のしやすさなどから8項目の塗料をピックアップ。世界各国の土の色を見る前に、まずは各模型用塗料の基本情報をおさえておこう。

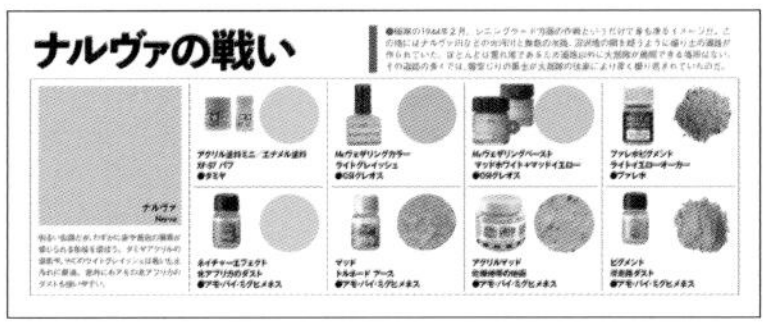

▲各ページに表示されている塗料はここで紹介する塗料に対応している。それぞれの塗料で得意な項目があるため、用途によって使い分けよう。

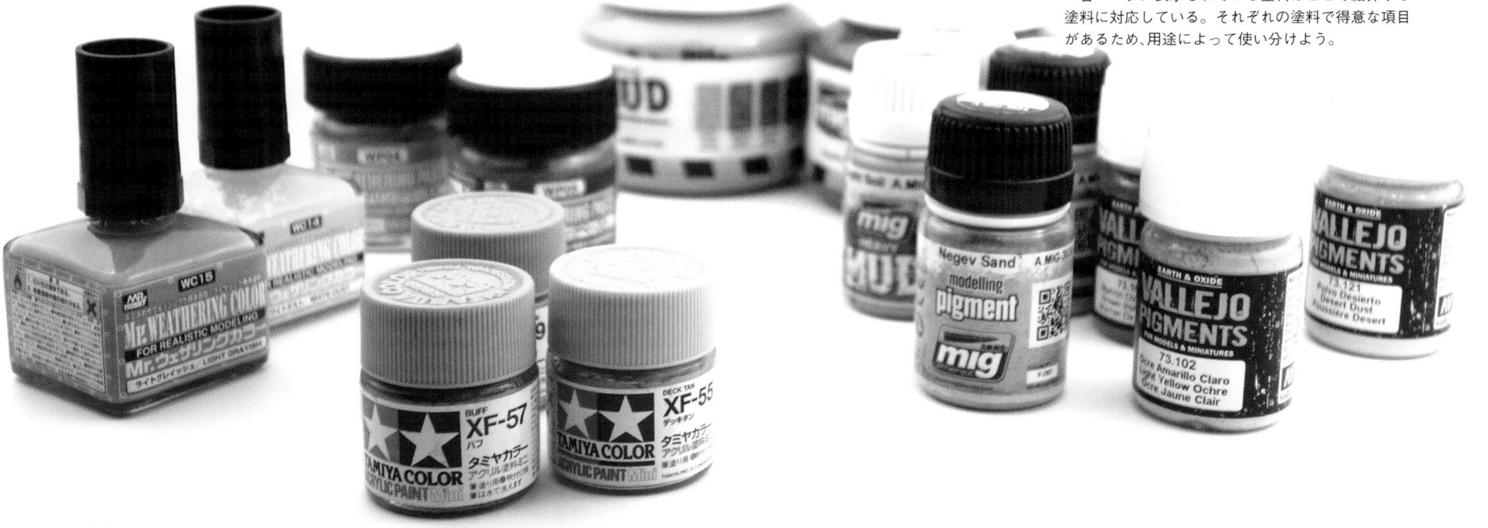

タミヤ

問タミヤ ☎054-283-0003

スタンダードな使い心地と入手性 色数の豊富さも魅力

（アクリル系塗料）

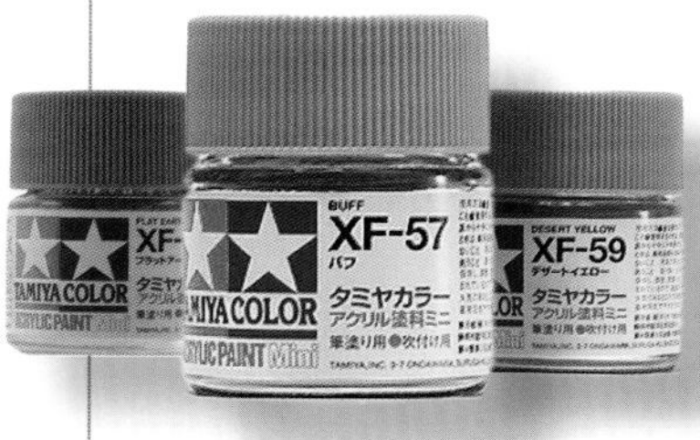

▲タミヤカラー（アクリル塗料ミニ）

●内容量：10ml

●色数：93 種類

ウェザリング専用色ではないが、「アルコール落とし」技法やエアブラシによる埃、泥汚れの下地塗装によく使われる。

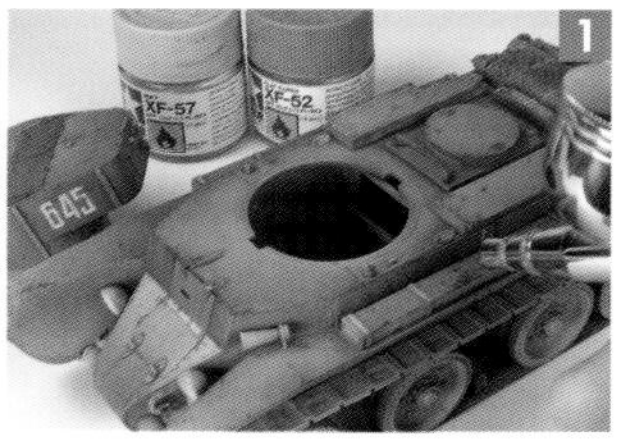

1エアブラシで薄く吹きつけるだけで簡単に砂埃を表現できる。

2基本塗装後、ヘアスプレーや剥がし液を吹いてからアクリル系塗料を塗装。

3乾燥後、水を含ませた筆で擦るとポロポロと剥がれた表情を再現できる。アルコール落としは剥がし液を吹かず、ラッカー系塗料で基本塗装した模型にそのままタミヤアクリルを吹き、アルコールで洗い落とす。

（エナメル系塗料）

▲エナメル塗料

●内容量：10ml

●色数：82 種類

スミ入れやウェザリング用の塗料として昔から愛されてきたエナメル系塗料。タミヤアクリル系塗料と対応している色があるのも他のメーカーにはないメリット。

1**2**アクリル塗料と同じく、希釈して適正な濃度に薄めるとエアブラシで吹き付けることもできる。タミヤアクリル塗料と同じラインナップで、同じ色をエナメル系塗料で塗装することができるメリットもある。

3石膏やピグメントと混ぜて、自作のウェザリング塗料を作る素材としても優秀なマテリアル。

※このデータは2020年11月現在のものです

GSIクレオス

㈱GSIクレオスホビー部 http://www.mr-hobby.com

日本が誇る模型用塗料メーカーの頼れる本格派

（エナメル系塗料）

▲ Mr. ウェザリングカラー
（各税別 380 円）
●内容量：40ml
●色数：18 種類　※本書ではWCと表記。

もはや定番となった
油彩系のエナメル系塗料

エナメル系塗料でのウェザリングの可能性を大きく認知させたと言っても過言ではない「Mr.ウェザリングカラー」。液状の油彩のような性質で、微妙な汚れの塩梅やぼかしができる。乾燥後は専用うすめ液でも落ちることがなく、しっかりとツヤ消しの状態に仕上がることも特徴。

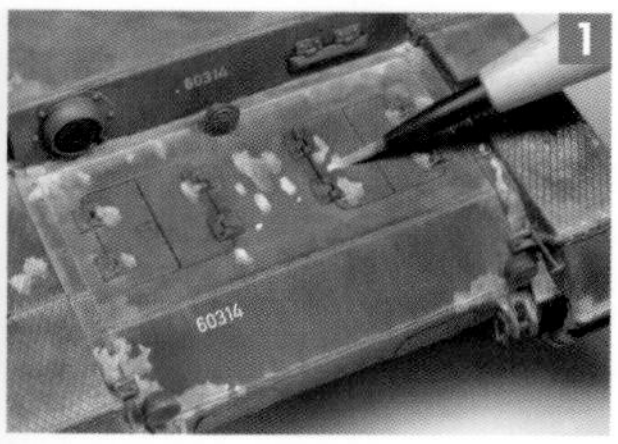

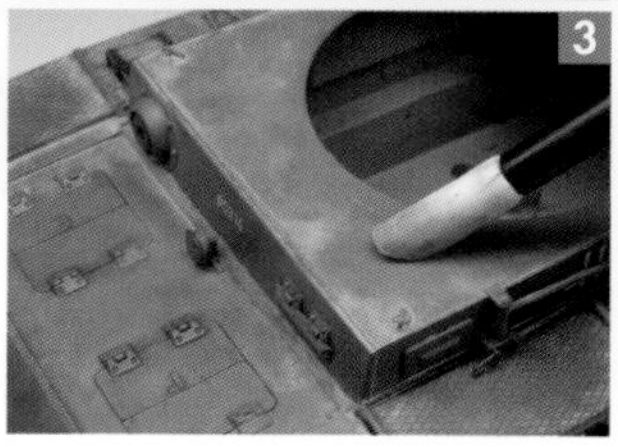

1 よく攪拌したMr.ウェザリングカラーを埃や泥が溜まりそうな部分に塗る。
2 薄め液をわずかに含ませた筆や綿棒などで伸ばして自然になじませる。
3 どこまで塗料を残すか、拭き取るかが仕上がりに差を生む。液状のマテリアルだが、ピグメントを扱うかのように残すところ、拭き取るところのメリハリを意識して作業する。

（エナメル系ペースト塗料）

▲ Mr. ウェザリングペースト
（各税別 600 円）
●内容量：40ml
●色数：5 種類　※本書ではWPと表記。

“盛る”ことができる
立体感が魅力のペースト

エナメル系のペースト状塗料。盛り上がったり溜まった土の再現に向いていて、同じシリーズでラインナップされている「ウェット・クリアー」を混ぜると湿った質感にすることもできる。

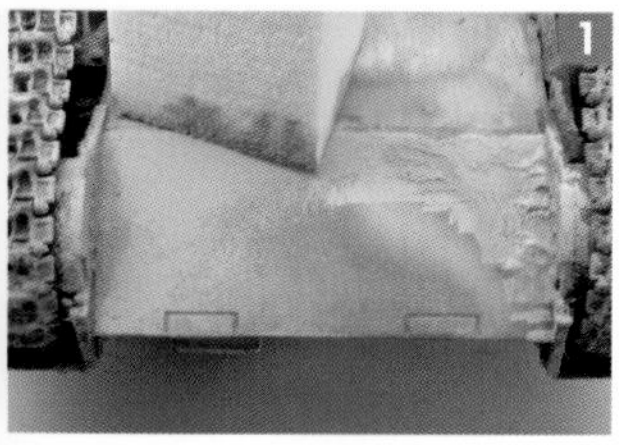

1 スポンジや使い古した筆でペーストを盛っていく。そのとき、叩くようにしてテクスチャーをつけることを意識する。
2 砂やスタティクグラスなどを混ぜて塗ってもおもしろい表情になる。塗った部分の境界は自然にぼかし、筆でなじませる。
3 湿り気によって色を変えたり、ウェットクリアーを混ぜて濡れた色を作ることもできる。スプラッシュ塗装にも有効だ。

ファレホ

㈱ボークス https://www.volks.co.jp

入手、価格、品質のバランスがいい模型用ピグメント

（ピグメント）

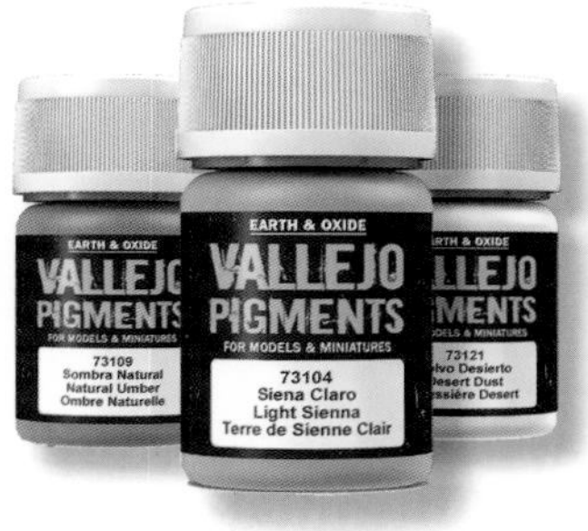

▲ピグメント（各税別 450 円）
●内容量：30ml
●色数：23 種類

入手しやすい
高品質な模型用ピグメント

「オーカー」や「アンバー」など、油彩でよく使用する色や汚しで使用する色をラインナップしたピグメント。

1 色のバリエーションは泥、埃、錆などのほか、一般的な油彩の色に準じているものもある。
2 3 使い方は普通のピグメントと同じで、粉のまままぶしたり水や薄め液で溶いて使うこともできる。ピグメント同士を混ぜ合わせて調色することも可能。

アモ・バイ・ミグヒメネス

㈲ビーバーコーポレーション　https://beavercorp.jp

AFV模型界を牽引するミグ・ヒメネス監修の本格派塗料

（エナメル系塗料）

▲ネイチャーエフェクト
（各税別 800 円）
●内容量：35ml
●色数：13 種類

伸ばしやすく馴染みやすい
スタンダードな汚し塗料

多種多様な汚しを再現できるエナメル系の汚し専用塗料。泥や埃色は地域や戦線別で色分けされているので、再現したい戦線に合わせ色を選択できる。

12使い方は原液を汚れの溜まりそうな部分に塗り、うすめ液でぼかしたり乾燥後に拭き取って模型に馴染ませる。
3監修を務めるミグ・ヒメネスおすすめの使用法は、チッピング液を吹いてから、このネイチャーエフェクトをエアブラシで吹き付け、水を含ませた筆で剥がす方法。筆で塗ったときと異なる、ボロボロ剥がれたようなおもしろい質感が生まれる。

（ピグメント）

▲ピグメント
（各税別 800 円）
●内容量：35ml
●色数：30 種類

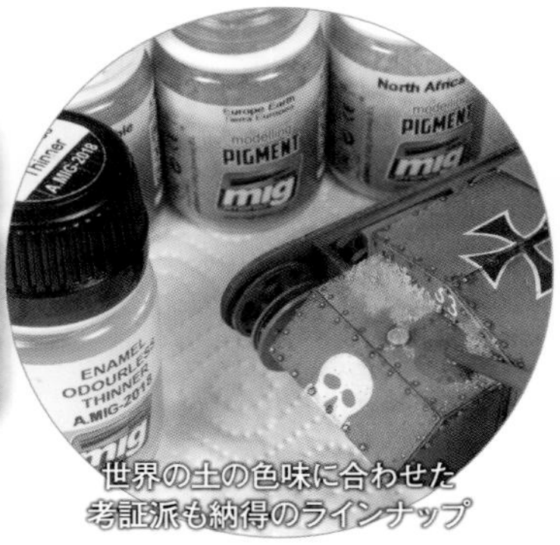

世界の土の色味に合わせた
考証派も納得のラインナップ

世界各国の土の色に合わせ多種多様な色数があるピグメント。選ぶのに迷うほどだが、これも戦線や地域別に製品タイトルが付けられているので便利。

1粉のまままぶし、薄め液で定着させる。
2うすめ液が乾くと元の色に戻り、凹部に溜まったような仕上がりになる。
3何度かこの作業を繰り返し、凸部を中心にズポンジなどで余計なピグメントを取り除けば完成。

（アクリル系ペースト塗料）

▶アクリルマッド／サンド
（各税別 1900 円）
●内容量：250ml
●色数：10 種類

微妙な小石の凹凸が
地面のリアリティを高める

ダイオラマ用に展開しているアクリル系のペースト塗料。乾燥すると砂利や砂の質感が浮き出てくる。種類によって凹凸のテクスチャーやツヤが異なり、こだわりが感じられる。大容量なのも魅力。

1いきなり地面に塗り付けず、スタイロフォームや粘土で下地を作る。
23凹凸や轍は粘土で表現しておき、いちばん上の層をコートするようにアクリルマッドやアクリルサンドを塗りつける。石の粒などのテクスチャー素材が混ざっているため、塗るだけで自然な凹凸が表現できる優れもの。

※このデータは2020年11月現在のものです

（エナメル系ペースト塗料）

▲ヘビーマッド
（各税別 800 円）

●内容量：35ml
●色数：6 種類

溜まった泥や積もった埃の再現に最適なエナメル系のペースト。同社の「スプラッシュ」よりもやや粘度が高めで、併用するとよりリアルな表情に。

1ペースト系の素材なので筆でも塗ることができるが、スポンジで叩くように塗りつけると自然なテクスチャーがつく。
2うすめ液でボカしたり、乾燥後にこすり落としたりしてメリハリをつける。
3砂や植物再現用の繊維素材など、混ぜ物を入れることでさらに便利でリアルな質感にすることができる。

（エナメル系ペースト塗料）

▲スプラッシュエフェクト
（各税別 800 円）

●内容量：35ml
●色数：6 種類

これまでは石膏などを塗料に混ぜて再現していたスプラッシュ（泥跳ね）も、専用塗料の登場でより便利に。エナメル系で、6種のカラーをラインナップ。

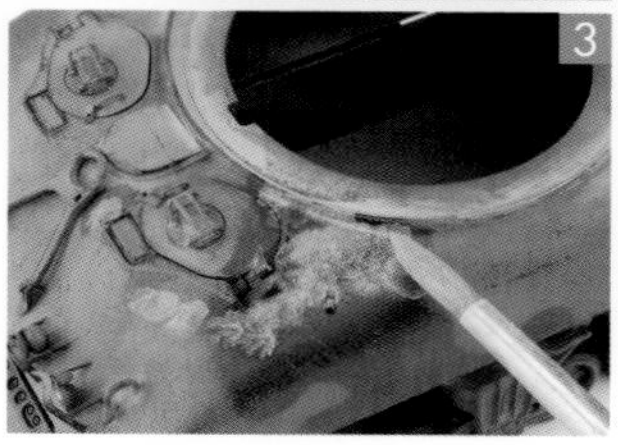

1原液のまま筆にとって指ではじき飛ばしたり、エアブラシのエアで吹き飛ばしたりして泥はねを表現できる専用の塗料。
2色味を変えることで湿り気の差や乾き具合いに変化をもたらすことができる。
3薄めて、濃く残った埃や泥の表現にも使える便利な塗料。乾くと砂や石膏のようなリアルな質感になるのも利点だ。

より本物に近づけるためのワンポイントアドバイス

▲戦場には泥、土、埃だけでなく草木や石、瓦礫などさまざまなものに囲まれている。周囲の環境を調べたり想像力を膨らませて、異なるマテリアルを織り交ぜてみることもリアルへの近道。落ち葉や瓦礫は市販のマテリアルで揃えることもできる。

▲欲しい色味がない場合は同じ塗料同士で工夫して調色することで理想の色味に近づけられる。クリアー系の塗料やオイル表現用の塗料を混ぜることで、乾燥しても湿り気のある泥汚れ塗料を作り出すこともできる。

▲土は乾いた色、濡れた色で見た目の色がかなり異なる。乾いた状態の泥で仕上げても、後からクリアー塗料やオイル表現用塗料、透明樹脂などを塗ることで湿った質感に変化させることができる。水気が乾きにくくそうな入り隅や凹部にはとくに効果的なテクニックだ。

▲調色したいときでも、ラインナップされている色だけでは限界がある。そんなときは同じ系統の塗料で代用することができる。例えばエナメル塗料と油彩で混ぜ合わせて調色したり、ピグメントを混ぜ込むことで色に変化を与えることができる。

本書では地域を大きく5つに分けて説明しています

戦車模型でよく作られるであろう地域を5つに分類しました。次ページより詳しく紹介します。

ヨーロッパ・中東・北アフリカ

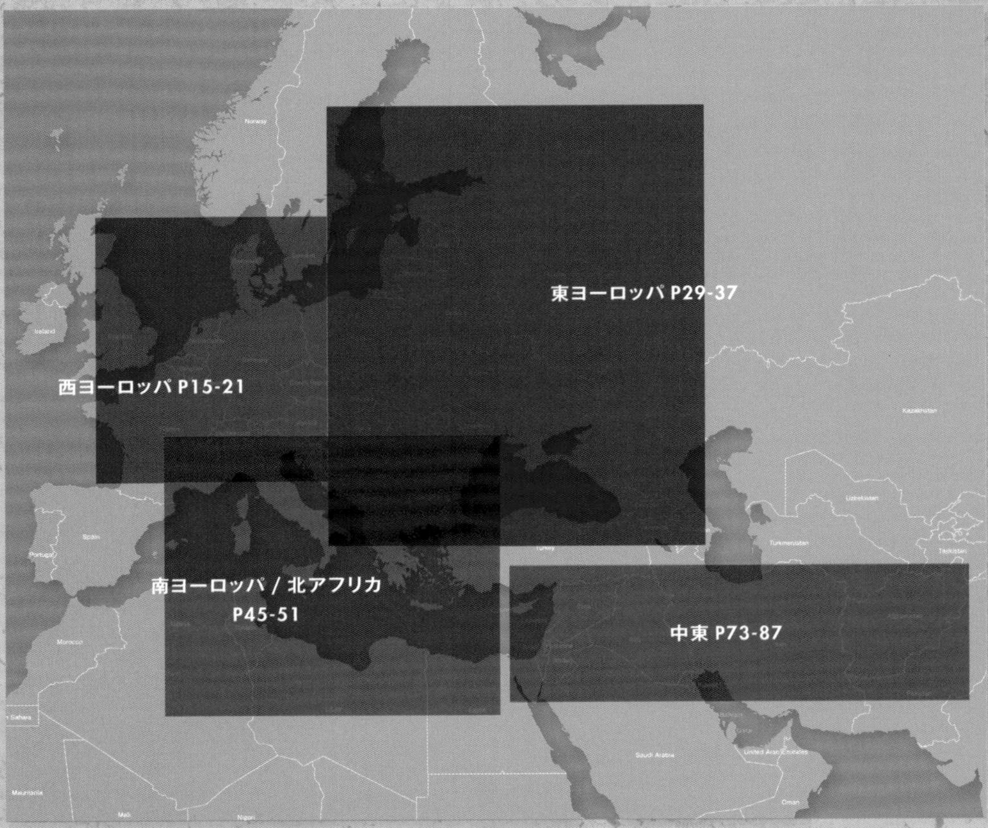

西ヨーロッパ　東ヨーロッパ　南ヨーロッパ / 北アフリカ　中東　アジア・太平洋

アジア・太平洋

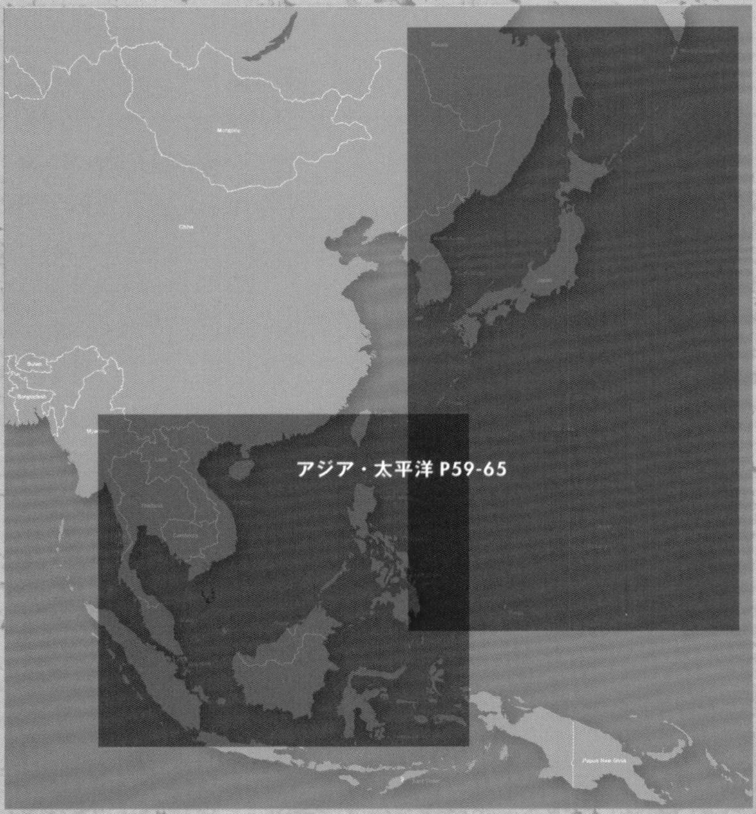

THEME.01
西ヨーロッパ
Western Europe

Western Europe

西ヨーロッパ

戦車戦の歴史はこの地から始まる
古代遺跡からハイテク都市まで多様な文化の広がりをつかもう

この地に張りめぐらされた塹壕陣地を突破するために、百年以上昔に戦車が誕生した。アルプス山脈を除けば地形の起伏はそれほどない西ヨーロッパ。しかし複雑な国境線の存在は、肌感覚での大地の多様性を反映しているのだ。

2012年12月撮影。リエナクメント・イベントで撮られた写真。森のなかの数限られた移動可能な道は交通量も増えるのですぐに泥沼のような状態になってしまう。高速で移動できない車両は意外とキレイなままのようだ。
Photo by Staff Sgt. Nathanael CallonReleased

こちらも2010年のリエナクメント・イベントから映画のシーンのような写真。兵士の行き来が多い箇所は自然と雪が土と混ざり合って泥と化す。情景作品ではぜひ再現したい地面の表情だ。
photo by stephanemat

ベルギー、バストーニュで2010年12月に行なわれた当時の戦闘を再現するリエナクメント・イベントにて撮影された写真。修復された行動可能車両も参加しているので、大戦当時の車両の汚れ具合などの参考になる。
photo by stephanemat

アルデンヌ戦を彷彿させるクレアンクライ・パオジンダ氏のラング。雪の表現はないものの、雪解けでぬかるんだ泥や落葉した木、落ち葉などの表現が寒さを感じさせる。フィギュアの泥汚れもポイント。

アーネムにあるマリエンダール橋。現在は国が定めた記念碑的な建造物となっている。背景には記念館の本館が見える。連合軍のマーケット・ガーデン作戦の最終到達点はライン川に沿ったこの街、アーネムだった。
Photo by Pimvantend

約一万年前まで、北欧から北西ヨーロッパ(ドイツ北部)の多くは厚さ三キロメートルもの氷河に覆われていました。その氷河が氷河期の冷気を遮断し、土は凍結を免れました。一方で、氷河はブルドーザーのように土を削りました。こまかな粘土は東ヨーロッパ(ウクライナ周辺)へと風で飛ばされ、北欧からドイツ北部には砂の多い土が残されました。マツ林の下では腐植層が堆積《たいせき》し、そこからしみ出す有機酸によって粘土が溶解し、灰色の砂層の残るポドゾル(酸性の土壌)ができます。地面は落葉層、黒色の腐植で覆われていますが、腐植層を剥ぎ取られると灰色の砂層、その下の赤や黄色の粘土層が顔を出します。

かつてブナ林であったドイツ西部などでは、若手土壌が多くなります。秋にブナの実を豚に食べさせ、ウインナーを作りました。ドイツ東部にはウクライナから続くチェルノーゼムの分布の西端があり、チェルノーゼムも点在します。

南部にはアルプスがあり、地質を反映した多様な色の未熟土が分布します。標高の低い土地の多いオランダ、ベルギーは地下水の影響を受け、海岸部は泥炭土が広がります。内陸部の低地でも地下水の影響は強く、土に含まれる赤や黄色の鉄サビが青灰色の鉄イオンに変わります。赤み、黄色みが失われ、灰色の未熟土やポドゾルが多くなります。やや砂質の泥、泥炭も多い。なお、日本の水田が灰色になるのも同じ仕組みです。

温暖で氷河の影響の小さかったフランスのノルマンディー地方や北東部では若手土壌や岩がちな未熟土(赤色系)が多くなります。海岸付近はやや灰色の粘土集積土壌となります。粘土集積土壌とは、表層の粘土が下層に移動した土で、腐植層の下にはサラサラしたシルト(砂より小さく粘土より粗い砕屑物)から砂質の灰色土層を持ちます。

氷河によって砂質土壌の多いドイツでは、地力の低さを克服するために、家畜を飼育し、その堆肥を農地に投入することで地力を回復させる三圃《さんぽ》式農業が発達しました。長年の堆肥投入効果によって黒い腐植層を持つ土もあります。土は人の働きかけ方によってはよくも悪くもなるのです。 ■藤井一至

バストーニュ

●ドイツ軍のアルデンヌ攻勢においては、主要街道が交差するこの町が焦点となった。そして第101空挺師団の将兵が守り抜いたことが連合軍の反撃を可能にした。凍てついた死体を野戦電話の支柱にしたとされるほどの極寒の戦場だが、豪雪地帯ではないのが重要。溶けた雪が、泥と混ざってはまた凍るを繰り返した地面の表現が問われる。

バストーニュ
Bastogne

単純に灰色の塗料を選んでしまうと、バストーニュ独特の色味は出しにくい。複数の塗料を混色し、やや黄色みの残る灰色を作るのがいいだろう。乾燥した部分の場合にはあまり色が濃くならないよう注意。

アクリル塗料ミニ／エナメル塗料
XF-55 デッキタン
●タミヤ

Mr.ウェザリングカラー
ホワイトダスト+マルチグレー
●GSIクレオス

Mr.ウェザリングペースト
マッドホワイト
●GSIクレオス

ファレホピグメント
グリーンアース
●ファレホ

ネイチャーエフェクト
ライトダスト
●アモ・バイ・ミグヒメネス

ヘビーマッド
ドライ ライト ソイル
●アモ・バイ・ミグヒメネス

アクリルマッド
乾燥した土
●アモ・バイ・ミグヒメネス

ピグメント
コンクリート
●アモ・バイ・ミグヒメネス

マーケットガーデン作戦

●映画『遠すぎた橋』でもおなじみの、ライン川に沿ったオランダ中東部の庭園都市。地下水の影響を強く受けた土壌は色味のない明るい灰色で、砂質の泥が特徴。アイントホーフェンやナイメーヘンも同様の色をしている。

アーネム
Arnhem

地下水の影響で土の赤みや黄色みを失っているところが重要。バストーニュに比べてより灰色が強い印象のため、混色する場合も灰系を多めにし、彩度のある色をわずかに混ぜるに留めるといいだろう。

アクリル塗料ミニ／エナメル塗料
XF-20 ミディアムグレイ
●タミヤ

Mr.ウェザリングカラー
ホワイトダスト+マルチグレー
●GSIクレオス

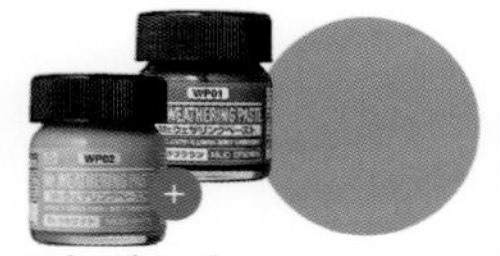

Mr.ウェザリングペースト
マッドホワイト+マッドブラウン
●GSIクレオス

ファレホピグメント
ライトスレートグレイ
●ファレホ

ネイチャーエフェクト
ライトダスト
●アモ・バイ・ミグヒメネス

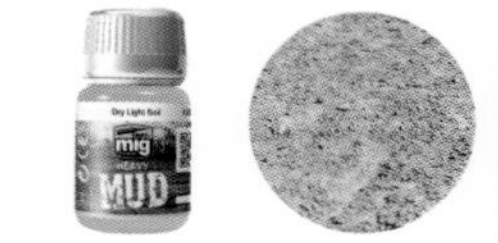

ヘビーマッド
ドライ ライト ソイル
●アモ・バイ・ミグヒメネス

アクリルマッド
乾燥した土
●アモ・バイ・ミグヒメネス

ピグメント
コンクリート
●アモ・バイ・ミグヒメネス

バルジの戦い

●パイパー戦闘団に所属したSS第501重戦車大隊のティーガーIIが現存することで有名なラ・グレーズは、針葉樹林と牧草地が広がる丘陵地。ここの土壌も灰色ながら少し黄色みがある。ただ水を含むと黒く重たい色になる。

ラ・グレーズ
La glaze

湿った部分は黒っぽく濃い色だが、乾燥した土汚れは黄色みの強めな灰色。サンド系にごく少量の茶を混ぜると近い色になる。ピグメントであればネゲヴサンドに彩度の低い色を少量加えることで再現できる。

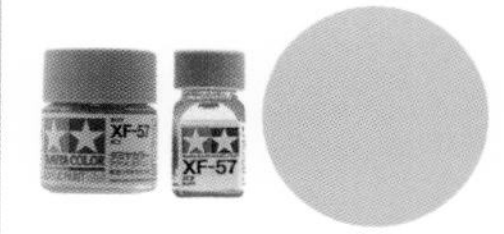

アクリル塗料ミニ／エナメル塗料
XF-57 バフ
●タミヤ

Mr.ウェザリングカラー
サンディウォッシュ+グラウンドブラウン
●GSIクレオス

Mr.ウェザリングペースト
マッドホワイト+マッドブラウン
●GSIクレオス

ファレホピグメント
グリーンアース
●ファレホ

ネイチャーエフェクト
ライトダスト
●アモ・バイ・ミグヒメネス

ヘビーマッド
トルネード アース
●アモ・バイ・ミグヒメネス

アクリルマッド
乾燥した土
●アモ・バイ・ミグヒメネス

ピグメント
ネゲヴサンド
●アモ・バイ・ミグヒメネス

1944年6月、カーン近くのヴォセル南で撮影された写真。カナダ軍のシャーマンとその乗組員。乾いた地面の色味がそのまま戦車と装備品にも反映されている。意外と車体の最前面のデフカバー部分は汚れが付着していない。
Source: archivesnormandie39-45

ノルマンディ戦のM4A1(76mm)を再現したミグ・ヒメネス氏の作品。迷彩と埃汚れのコントラストが美しい。

ノルマンディーの土壌は写真のように少し赤みがあり明るく見える。この土が埃となって車両に付くと車体色が元とは違って見えたかもしれない。
Photo by: kruwt

フランスの都市カーンの南方1944年の夏に撮影された写真。車両の履帯などで掘り起こされた土壌の色味がわかる。とくに掘り起こされたばかりの湿った土の色と車両が巻き上げる乾燥したホコリの色味の違いに注目したい。
Source: archivesnormandie39-45

ノルマンディー

●強い海風で運ばれてくる砂をせき止め、表土が剥がされるのを防ぐためにボカージュと呼ばれる濃密な生け垣が張りめぐらされたノルマンディー海岸。海に近ければ砂がちとなるし、内陸に入れば豊かな牧草地帯となる。上陸作戦がテーマなら、戦局の前半と後半で地面の様子はだいぶ違ってくる。現在は灌漑が進んだが、湿地も多かった。

サン・ロー
Saint Lo
カーン
Caen
アルジャンタン
Argentan
ファレーズ
Falaise

情景の舞台にもなりやすいノルマンディー。赤みのあるアース系の塗料は各社ラインナップされているが、それにホワイトを混色するとさらに近い色となる。もちろん灰色系に赤みを足し混色するのも可能だ。

アクリル塗料ミニ／エナメル塗料
XF-52 フラットアース＋
XF-2 フラットホワイト
●タミヤ

Mr.ウェザリングカラー
ライトグレイッシュ
●GSIクレオス

Mr.ウェザリングペースト
マッドホワイト＋マッドレッド
●GSIクレオス

ファレホピグメント
ヨーロピアンアース
●ファレホ

ネイチャーエフェクト
ライトダスト
●アモ・バイ・ミグヒメネス

スプラッシュ
ルーズグラウンド
●アモ・バイ・ミグヒメネス

アクリルマッド
明るい色の地面
●アモ・バイ・ミグヒメネス

ピグメント
ヨーロッパダスト
●アモ・バイ・ミグヒメネス

ソンムの戦い

●第一次世界大戦で初めて戦車が実戦投入されたこの地は、ノルマンディーの北西部に位置する。土は下のサンプルのようにノルマンディーより黄色みが強い印象。もちろん水を含むと暗く濁るが泥水はベージュ色になる。

アラス
Arras

ノルマンディーの色よりも黄色みが強く、ミルクティーのような色合いとなる。WPのマッドイエローとマッドレッドを組み合わせたり、赤みの強いアモのピグメント瓦礫に黄色系のものを加えるとよい。

アクリル塗料ミニ
XF-59 デザートイエロー
●タミヤ

Mr.ウェザリングカラー
サンディウォッシュ＋ラストオレンジ
●GSIクレオス

Mr.ウェザリングペースト
マッドホワイト＋マッドレッド
●GSIクレオス

ファレホピグメント
ニューラスト＋デザートダスト
●ファレホ

ネイチャーエフェクト
クルスクの土壌
●アモ・バイ・ミグヒメネス

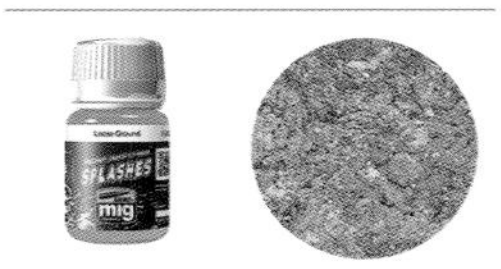

スプラッシュ
ルーズグラウンド
●アモ・バイ・ミグヒメネス

アクリルマッド
明るい色の地面＋ベトナムグラウンド
●アモ・バイ・ミグヒメネス

ピグメント
瓦礫
●アモ・バイ・ミグヒメネス

写真はドイツ南部の風景。ベルリンの土壌も同様にこのような黄色みの強い砂色。
Photo by: gkuna

ベルリン特別区内にあるミュゲルハイム地域。整地されているがベルリン地域の土の色味がわかりやすい。
Photo by Lucas Werkmeister

こちらもベルリン戦での"もしも"を再現したミグ・ヒメネス氏作のティーガーⅡ。オーデル川河畔やゼーロウ、ベルリン、南ドイツなど大戦末期の車両を作る場合に合わせやすい色と言える。

ベルリンの戦い

●ライヒスタークやベルリン市街を焦点とするなら土壌は脇役だ。しかし少し郊外に出るだけで、緑豊かな平原地帯が顔を覗かせはじめるのが北ドイツだ。凄惨な市街戦も季節は新緑のころとなる。ドイツの住民は町の景観維持を重視して、集落や街区単位で植え込みや花壇の体裁を揃え、あるいは同じ草花を植えて統一感を演出する傾向がある。

ベルリン
Berlin

濁りの少ない黄色みのあるサンド色は、WCのサンディウォッシュや、地域は違うがアモの北アフリカのダストがマッチする。灰色系のピグメントをベースに使用する際は、彩度のある色を混色し、濁りを控えめにする。

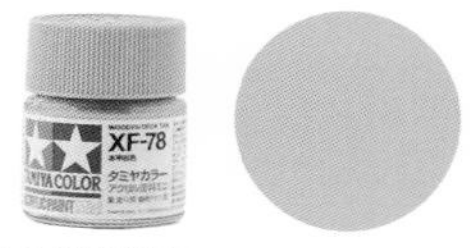

アクリル塗料ミニ
XF-78 木甲板色
●タミヤ

Mr.ウェザリングカラー
サンディウォッシュ
●GSIクレオス

Mr.ウェザリングペースト
マッドレッド+マッドホワイト
●GSIクレオス

ファレホピグメント
ライトイエローオーカー
●ファレホ

ネイチャーエフェクト
北アフリカのダスト
●アモ・バイ・ミグヒメネス

スプラッシュ
ドライ ステップ
●アモ・バイ・ミグヒメネス

アクリルマッド
乾燥地帯の地面
●アモ・バイ・ミグヒメネス

ピグメント
北アフリカダスト
●アモ・バイ・ミグヒメネス

ゼーロウ
Seelow

ベルリンの戦いの前哨戦である、ゼーロウ高地の戦いの舞台。ベルリンに比べ、黄色みはやや控えめだ。WCのホワイトダストやアモのドライアース、ピグメントではサンドなどが近いだろう。

アクリル塗料ミニ
XF-78 木甲板色+XF-2 フラットホワイト
●タミヤ

Mr.ウェザリングカラー
ホワイトダスト
●GSIクレオス

Mr.ウェザリングペースト
マッドホワイト
●GSIクレオス

ファレホピグメント
デザートダスト
●ファレホ

ネイチャーエフェクト
北アフリカのダスト
●アモ・バイ・ミグヒメネス

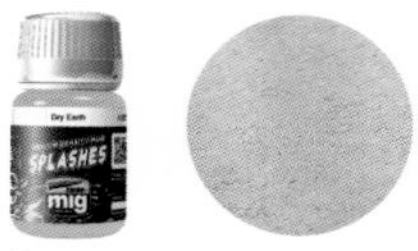

スプラッシュ
ドライアース
●アモ・バイ・ミグヒメネス

アクリルマッド
乾燥した土
●アモ・バイ・ミグヒメネス

ピグメント
サンド
●アモ・バイ・ミグヒメネス

その他の戦域とドイツ本土侵攻

●バルジの戦いの後、連合軍はドイツ本土へ侵攻。その主要な街の土壌を見ると、下のカラーサンプルのような赤みのある明るいグレーをしている。レマーゲンやルールポケットを題材にした作品を作るなら、この色を使えば間違いないだろう。ただこの手の色はオリーブドラブやグリーンの車体色にのせると色映えが悪い。若干明るく補正するとよい。

●ミュンヘンは黄色みの強い土と明るい灰色の土が見られる。プラハは少し赤みのある灰色の土、ウイーンは黄色みのある灰色をしている。ミュンヘンとウイーンの間は降伏後もドイツ軍の残存部隊が抵抗を続けている。この辺りの土の色はさまざまで、終戦間際のドイツ国内の作品を作るなら、あまり色に気を配らなくてもよさそうだ。

プラハ
Prague

大戦末期のソビエト赤軍によるドイツ攻勢、プラハの戦いの舞台は赤みのある灰色系。タミヤのフラットアースやファレホのヨーロピアンアースに、ホワイト系を少し加えてこれを再現する。

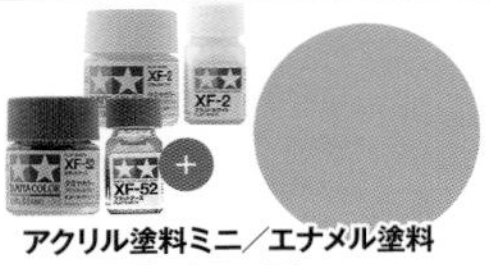

アクリル塗料ミニ／エナメル塗料
XF-52 フラットアース+
XF-2 フラットホワイト
●タミヤ

Mr.ウェザリングカラー
ホワイトダスト+グレーズレッド
●GSIクレオス

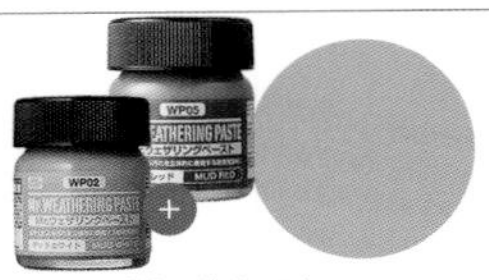

Mr.ウェザリングペースト
マッドホワイト+マッドレッド
●GSIクレオス

ファレホピグメント
ヨーロピアンアース
●ファレホ

ネイチャーエフェクト
アース
●アモ・バイ・ミグヒメネス

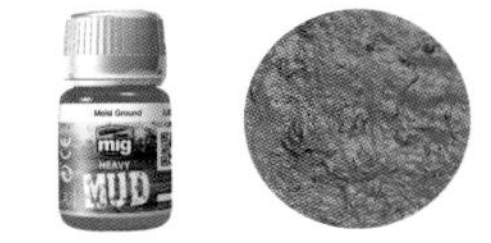

ヘビーマッド
モイスト グランド
●アモ・バイ・ミグヒメネス

アクリルマッド
明るい色の地面
●アモ・バイ・ミグヒメネス

ピグメント
滑走路ダスト
●アモ・バイ・ミグヒメネス

ウイーン
Vienna

プラハより南部に位置するウィーンは、赤みが少ない灰色系の色。タミヤのデッキタンや、アモのドライ ライト ソイル、コンクリートのピグメントなどをベースに混色して再現するのが近道だ。

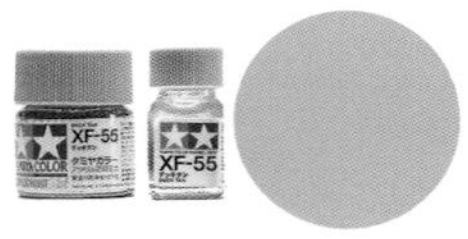

アクリル塗料ミニ／エナメル塗料
XF-55 デッキタン
●タミヤ

Mr.ウェザリングカラー
ホワイトダスト+マルチグレー
●GSIクレオス

Mr.ウェザリングペースト
マッドホワイト
●GSIクレオス

ファレホピグメント
グリーンアース
●ファレホ

ネイチャーエフェクト
ライトダスト
●アモ・バイ・ミグヒメネス

ヘビーマッド
ドライ ライト ソイル
●アモ・バイ・ミグヒメネス

アクリルマッド
乾燥した土
●アモ・バイ・ミグヒメネス

ピグメント
コンクリート
●アモ・バイ・ミグヒメネス

アーヘン
Aachen

米軍とドイツ軍によるアーヘンの戦いの舞台。ベルギーよりも赤みが強く、WCのライトグレイッシュやファレホのライトシェンナが近い。このあと西部戦線はバルジの戦いへと向かっていく。

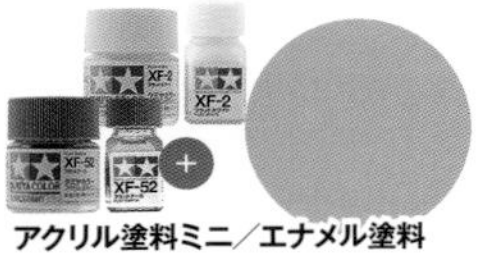

アクリル塗料ミニ／エナメル塗料
XF-52 フラットアース+
XF-2 フラットホワイト
●タミヤ

Mr.ウェザリングカラー
ライトグレイッシュ
●GSIクレオス

Mr.ウェザリングペースト
マッドホワイト+マッドレッド
●GSIクレオス

ファレホピグメント
ライトシェンナ
●ファレホ

ネイチャーエフェクト
アース
●アモ・バイ・ミグヒメネス

ヘビーマッド
モイスト グランド
●アモ・バイ・ミグヒメネス

アクリルマッド
明るい色の地面
●アモ・バイ・ミグヒメネス

ピグメント
ネゲヴサンド
●アモ・バイ・ミグヒメネス

リップシュタット
Lippstadt
ニュルンベルク
Nuremberg
レマーゲン
Remagen

赤みのある明るい灰色が特徴の土壌。アモのライトダストのような色合いに、少量白系を加えて再現するか、明るめの灰色系に、彩度を加えて調整するとよい。あまり黄色みを加えないのがポイントだ。

アクリル塗料ミニ／エナメル塗料
XF-52 フラットアース+
XF-2 フラットホワイト
●タミヤ

Mr.ウェザリングカラー
ライトグレイッシュ
●GSIクレオス

Mr.ウェザリングペースト
マッドホワイト+マッドイエロー
●GSIクレオス

ファレホピグメント
ライトシェンナ+チタニウムホワイト
●ファレホ

ネイチャーエフェクト
ライトダスト
●アモ・バイ・ミグヒメネス

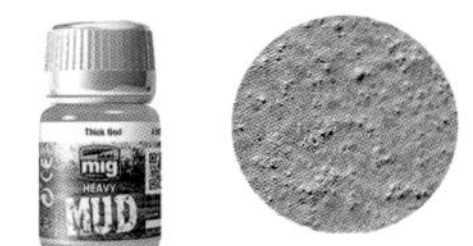

ヘビーマッド
シック ソイル
●アモ・バイ・ミグヒメネス

アクリルマッド
明るい色の地面
●アモ・バイ・ミグヒメネス

ピグメント
ネゲヴサンド
●アモ・バイ・ミグヒメネス

ミュンヘン1
Munich 1

ミュンヘンはさまざまな色の土が存在するので代表的なものを紹介。この灰色の強い土色はタミヤのミディアムグレイやファレホのグリーンアースが当てはまる。あまり彩度を上げないようにしよう。

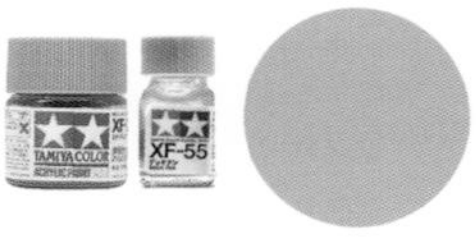

アクリル塗料ミニ／エナメル塗料
XF-20 ミディアムグレイ
●タミヤ

Mr.ウェザリングカラー
ホワイトダスト＋マルチグレー
●GSIクレオス

Mr.ウェザリングペースト
マッドホワイト＋マッドブラウン
●GSIクレオス

ファレホピグメント
グリーンアース
●ファレホ

ネイチャーエフェクト
ライトダスト
●アモ・バイ・ミグヒメネス

ヘビーマッド
ドライ ライト ソイル
●アモ・バイ・ミグヒメネス

アクリルマッド
乾燥した土
●アモ・バイ・ミグヒメネス

ピグメント
コンクリート
●アモ・バイ・ミグヒメネス

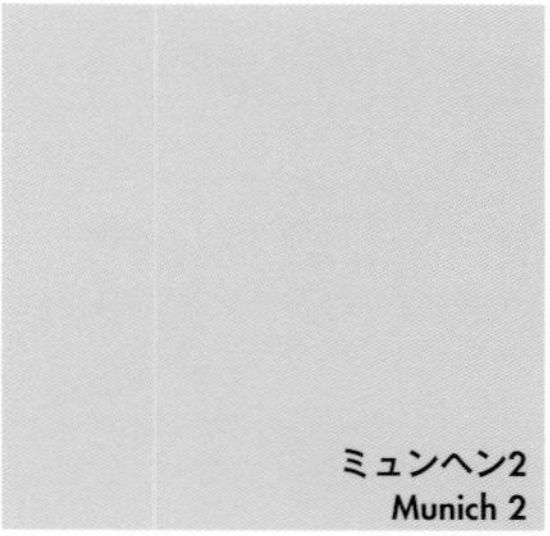

ミュンヘン2
Munich 2

打って変わって明るい黄色みの強い土色も存在している。WPのマッドホワイトに多めのマッドイエローを加えると近い色合いに。アモの中東ダストや、ファレホのライトイエローオーカーもこれにかなり近い色だ。

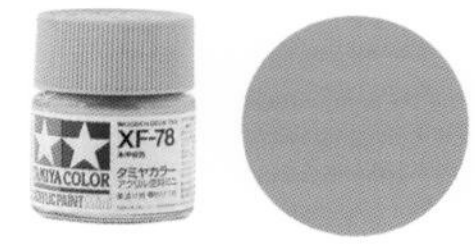

アクリル塗料ミニ
XF-78　木甲板色
●タミヤ

Mr.ウェザリングカラー
サンディウォッシュ
●GSIクレオス

Mr.ウェザリングペースト
マッドホワイト＋マッドイエロー
●GSIクレオス

ファレホピグメント
ライトイエローオーカー
●ファレホ

ネイチャーエフェクト
北アフリカのダスト
●アモ・バイ・ミグヒメネス

スプラッシュ
ドライ ステップ
●アモ・バイ・ミグヒメネス

アクリルマッド
乾燥地帯の地面
●アモ・バイ・ミグヒメネス

ピグメント
中東ダスト
●アモ・バイ・ミグヒメネス

ミュンヘン空港の南に新しく建設されている排水路にかかる橋。工事のために掘り起こされた地面が乾燥した状態。空港などがあるような都市郊外の土壌は黄色みを帯びている。
Photo by Vuxi

ケルンでの戦闘に参加したM26パーシングはクレアンクライ・パオジンダ氏の作品。現地の淡い埃色を忠実に再現。

2019年3月撮影。ミュンヘン旧市街南西にあるテレージエンヴィーセ公園。整地された広場では撒かれた砂利の下に元々の赤みを少し帯びた土壌が見えているようだ。
Photo by RudolfSimon

泥表現Tips 01
DAMP SOIL SPOT

アモの製品の基礎

King Tiger
1945 Germany

スペインの世界的プロモデラー、ミグ・ヒメネス氏が立ち上げた模型専用塗料のブランド、アモ。その塗料類はミグ自身の模型製作の哲学が反映されたマテリアルとなっている。プロモデラーが選び抜いた、塗装やウェザリングの各ステップに特化した塗料と言えるだろう。これらの塗料の使いかたをマスターすれば、さまざまな表現に応用が可能だ。

キットはアモ・バイ・ミグヒメネスのキングタイガー ヘンシェル砲塔 1945年 2 in 1 限定版。架空の設定ではあるが、史実に基づいた“もしも” のシチュエーションとして1945年のドイツ国内戦を想定して仕上げられている。

強めのコントラストでウェザリング後でも消えないカラーモジュレーションを!

埃や泥、土にまみれたウェザリングを行なう場合は基本塗装で行なったカラーモジュレーションのコントラストが消されやすい。埃、土のレイヤーで基本塗装のコントラストが平均的になるのを見越して、通称よりも明暗を強調したカラーモジュレーションや濃いめのピンウォッシュ(スミ入れ)を行なうことを心がけてみよう。

1 アモのモジュレーションセットのいちばん暗い色から塗っていく。グラデーションをなめらかにしたいなら、トランスパレーター(塗料を半透明化する添加剤)を混ぜるのがおススメだ。

2 隣接するパネルラインのコントラストを見ればカラーモジュレーションの効果がよくわかる。コントラストが強すぎると感じても、このあとに行なうウォッシングやほかのエフェクトで落ち着いてゆくので気にしない。

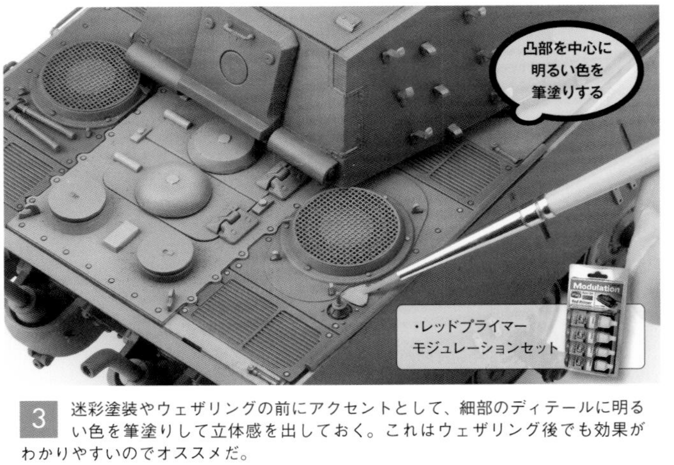

3 迷彩塗装やウェザリングの前にアクセントとして、細部のディテールに明るい色を筆塗りして立体感を出しておく。これはウェザリング後でも効果がわかりやすいのでオススメだ。

4 アモの剥がし液を塗って表面が乾燥したら、エアブラシでダークイエローの迷彩を塗装する。細吹きで迷彩の輪郭を描いてゆき、線のなかを塗りつぶす要領で作業すると、イメージに近いパターンを再現することができる。

5 キット付属の資料を参考にした迷彩パターンが完成した状態。はみ出しなどの気になる箇所は面相筆でリタッチしておいてもよいだろう。基本塗装はここで終わり。次からの工程は汚れや退色表現などのウェザリングとなる。

6 フィルター液を塗っていく。フィルターは色に深みをもたせると同時に、色味や強くなり過ぎたコントラストを落ち着かせることができる。

7 フィルターが乾いたら、暗色でモールドを中心に全体をウォッシュして車両のディテールを浮き立たせる。

8 車体各所のエッジやハッチまわりを中心に塗料を含ませたスポンジを使ってチッピングをする。非常にこまかいキズがランダムで再現できる。

9 車体色にアクセントを加えて、さらに立体感を演出していこう。明るい迷彩部には明るい同系色を、それ以外の部分にはレッドプライマーを使う。「オイルブラッシャー」(編注：アモのペン型油彩塗料 A.MIG3511レッドプライマー A.MIG3317バフ)を使えば、迷彩でも部分的な変化をつけるのが簡単に行なうことができる。

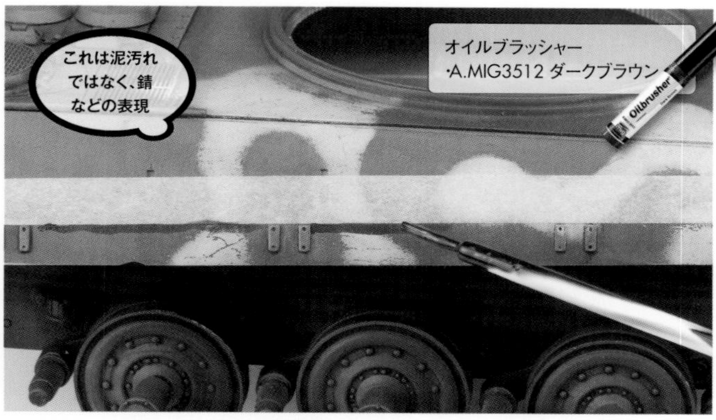

10 サイドフェンダーの跡を再現してゆく。フェンダーが装着されていた境目にマスキングテープを貼って、必要以上に塗料が付かないようにしておいてから、オイルブラッシャーで細長い線状にまだらになるように塗る。

11 マスキングテープをはがしてうすめ液で境目をぼかしてブレンドする。テープで付けた境目はボカさずクッキリとさせておくとそれらしくなる。

12 ストレーキンググライムを使い線をランダムに引いたら、専用うすめ液をほんの少しだけ含ませた平筆でボカす。この作業は線をひいてボカす、までがワンセット。塗料が完全に乾く前に行なう必要があるので、すべての線を引いてからボカすというのは禁止。いちどに行なおうとすると乾いてしまうので、面ごとに少しずつ作業を進める。

アモ製品で行なう埃、土、泥の表現方法

基本塗装やスミ入れ、チッピング、錆などの表現が終わったところで、いよいよ土埃や泥による汚れを再現していく。アモの製品ではアクリル系塗料、エナメル系塗料、ピグメント、油彩など各塗料に土系のウェザリングマテリアルが存在する。ここでセレクトしたのはおもにピグメントやエナメル系塗料。それぞれのウェザリングの工程を見ていこう。

1 筆で3色のピグメントを付着させてゆく。まず暗い色を砲塔リングとエンジンハッチまわりにつける。この埃色はこのあとほとんど見えなくなるが重要な下地となる。

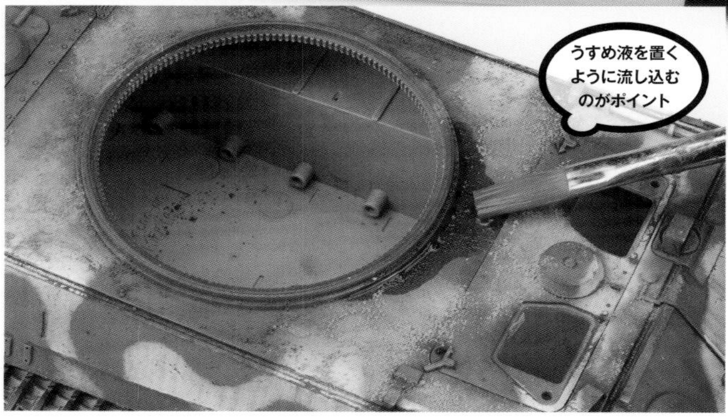

2 エナメル系うすめ液をつけた筆で表面を湿らす。うすめ液はあまりつけすぎないように注意しよう。ピグメントが流れ出してしまい、余計な部分にまでピグメントが広がってしまう。

3 うすめ液が乾くと、付着させたピグメントがほとんど見えなくなるので、さらにピグメントを筆で追加してゆく。次はエナメル系うすめ液は使用せず、粉のままでのせてゆく。

4 エンジンオイルで汚れた土埃の再現はコツが必要。そこで、アモの専用マテリアルを使ってリアルに再現できる工程を紹介する。まず「A.MIG3007ダークアースピグメント」を乾いた筆でエンジンデッキにランダムにこすりつける。

5 それから専用うすめ液で少しうすめた「フレッシュエンジンオイル」（A.MIG1408）を筆で模型の表面に広げる。すぐに塗料がピグメントに染み込んでゆく。

6 フレッシュエンジンオイルは完全に乾燥しても、湿った質感はそのまま残る。ピグメントの下地がある分、乾燥した部分と湿った部分の差が際立たせることができる。

7 ホコリを巻き上げる履帯周りや必要な箇所にさらに埃色を加える。今度はピグメントではなく埃色のエナメル塗料を透けるように控えめにエアブラシで吹き付ける。

8 吹いたらすぐにエナメル系うすめ液を少しだけ含ませた筆で、埃色の一部を落とすとランダムに垂直な汚れが再現できる。

9 スプラッシュ専用の塗料を含ませた筆にエアブラシを吹きつけて、戦車の側面に飛び散らせる。 筆で飛沫の大きさなどを調整したら、1時間ほど乾燥させる。

10 飛沫を飛ばしては専用のうすめ液を含ませた筆で撫でて表情を整える。その後もう一回この作業を繰り返すと、多彩な色合いをもつリアルな土埃の質感ができあがる。

11 より暗い色のスプラッシュ用塗料を使ってディテールの周りに湿った箇所を再現。汚れの種類と表情が増えてアイキャッチ部分となる。

12 次に土埃に見立てたピグメントを入り込んだディテールや水平面にのせる。乾燥した埃の表現はピグメントの使用が効果的。後に定着させるまで触れないように注意する。

13 細筆を使ってほんの少しだけ砂、砂利用接着剤(A.MIG2012)を土埃につけたら、触らずに乾かそう。乾燥すると土埃は接着剤をつける前の状態に戻る。ツヤ消しにするのであれば、つける接着剤の量は少量にすること。つけすぎるとツヤが出てしまう。

ひと味違った泥汚れで作品に ストーリーを与える“足跡スタンプ”

1 ゴム製のブーツスタンプで戦車の表面に泥色の足跡をつけよう。といっても「ブーツ」にスプラッシュ液をつけて戦車に押しつけるだけ。

2 気に入らなかった足跡は専用またはエナメル系うすめ液を含ませた筆で消せるから安心だ。

泥表現Tips 01
DAMP SOIL SPOT

Königs

G e r m a n y J

　もしもドイツが1945年6月まで負けずにいて、こんなキングタイガーの最終型を量産してたら、連合軍は激ヤバい状況になってたんじゃないかな？　改良のおかげでこの新型キングタイガーは高い命中精度を誇る戦闘マシーンになってたハズだ。砲塔の左右にあるふたつの丸い出っぱりは新型測遠機を備えている証拠だ。この新型測遠機ならスゴい精密さでサクッと照準できたから、パーシングやJS-2みたいな戦車もビビりまくりだったろう。この新型キングタイガーが実戦投入されてたら、どうなってただろう？　作例はこんなんじゃなかったかなっていう、ボクの答えだ。たぶんこのキングタイガーはレッドプライマーの状態で工場から出されたんだろうけど、夏の市街戦っていう埃っぽい環境に合わせてサンド色で迷彩されてたんじゃないかなって思ったんだ。主砲は大量のストックがあった88㎜砲で、塗装もジャーマングレーにしてみた。それから新人の乗員は新しい装備品が不足してたんで、着ている軍服は古いやつだ。指揮車には赤外線照準器が追加されていただろう。もちろん操縦手と無線手にも赤外線サイトがあったら最高なんだけど、物資不足でそこまではムリだった。それでもこのキングタイガーは夜戦となればダンゼン有利だったろうね、なんて想像しながらモデリングしてみたんだ。（ミグ）

大戦末期のドイツ国内戦はベルリンなどの市街地戦を思い浮かべがちだが、土壌に目を向けてみると土の色は意外にも黄色い。プライマーレッドにも映える色味だ。

Tiger

l y 1 9 4 5

土の小噺❶

土とは?土の色と構造。

by藤井一至

そもそも、土とは何なのだろうか。土とは、岩石の風化によって生成した粘土(2マイクロメートル以下)や砂に腐植が混ざってできたものである。腐植とは、文字通り、腐った動植物遺体のことだが、それが原形をとどめないほどこまかく分解されて腐葉土(カブトムシのエサ)となり、さらに変質して腐植となるのだ。

では、岩と土との違いは何だろう。大陸を構成する岩石である花崗岩(御影石)の比重はおよそ3である。一方、土の比重はおよそ1。日本の火山灰土壌では水より軽い比重0.3のものまで存在する。理由は、土の粒子の間に空気や水を含む孔隙があるためだ。10センチメートルの岩から30センチメートル～1メートルの土ができる勘定になる。小惑星リュウグウの地面と同じく、もともと地球上には石や岩ばかりで土は存在しなかった。そこに5億年前、植物が登場し、死んだ植物が堆積して分解され、岩が風化してできた砂や粘土と混ざり合い、土ができてきたのだ。土はやがて風や雨によって侵食され、堆積物は海底や湖底に沈んでいく。さらに、それが堆積岩やマグマに姿を変え、再び土となるのだ。この岩石サイクルには、およそ数億年かかるといわれている(**図1**)。

土と岩とを分かつのは、腐植と粘土の存在だ。これらの成分がバラバラに存在するのではなく、地表ではコロコロっとした塊として存在する。この土粒子の塊を団粒構造という。ミミズなどの土壌動物が土を摂食したあとに排泄するフンが団粒構造となる主要因だ。ミミズの腸内では、納豆のネバネバ成分のようなムコ多糖(ヒアルロン酸、コンドロイチン)が放出され、粘土と腐植、砂を連結していく(**図2**)。生物が少ない砂漠や、下層の土がむき出しになっている場所では腐植が少なく、団粒構造を持たない土となるのだ。土の粒子が集積し詰まっている状態を単粒構造という。この状態では通気性、排水性が悪く、水たまりやぬかるみの原因になる。

土の色は腐植の黒色、粘土の黄～赤色、砂の白色がもとであり、腐植や粘土、砂の比率で変わる。茶色の落ち葉は微生物によって分解されることで腐葉土、腐植へと変質する中で黒くなっていく。そして砂は石英が主成分であり、風化しにくいためになかなか粘土にはならない。粘土の色にはカオリナイト(陶器に最適、ファンデーション)のように白いものが多く、鉄成分の色が強く影響を及ぼす。岩石中の鉄(還元的な二価鉄)は青色を呈するが、地表で風化・酸化されることで黄色から赤色の鉄サビ粘土(酸化鉄)になる。公園の鉄棒を握ると手についたあのサビと同じだ。鉄サビ粘土(ヘマタイトが主成分、ヘムは血を表す)はフライパンで焼くと赤くなっていく。自然界では熱帯・乾燥の気候帯で鉄サビ粘土は赤くなる。また地質が古く鉄が濃縮するほど赤くなるため、アフリカ、南米大陸に赤い土が広く分布している。日本のような湿潤な温帯域では鉄サビ粘土(ゲータイトが主成分、鉱物マニアだった詩人ゲーテに由来)は黄色～オレンジ色になるのである。

水に黒い腐葉土と黄色い粘土が混ざると茶色の土に見える。また、白色の砂と腐葉土が混ざると灰色になる。腐植成分の少ない亜熱帯の沖縄や熱帯地域では赤色にもなる。あるいは田んぼの土やヘドロの中では鉄サビの一部は溶けて、青灰色にもなる。これが土の色の答えがひとつにならない理由なのである。

市販の土の素材が合わない場合、園芸用品店にある真砂土(山砂)、腐葉土を適宜すりつぶしたもの、赤玉土あるいは鹿沼土をすりつぶしたもので砂、腐植、粘土の代用になる。混合比率を変えることで土の色を調節することができる。市販の培養土の中に混入している腐葉土、赤玉土を選び出すこともできるが、ダニなどが発生するリスクもあるため、電子レンジあるいはお湯をかけるといった殺菌処理が必要となる場合がある。団粒構造を人工的に再現することも可能で、市販の糊(アラビックヤマト)と類似の成分で団粒構造の発達を促すことが農業の現場ではなされている。日本画では膠(ニカワ)を用いて岩石粉末を固めるが、土を固めるには木工用ボンドをうすめた水が有効である。■

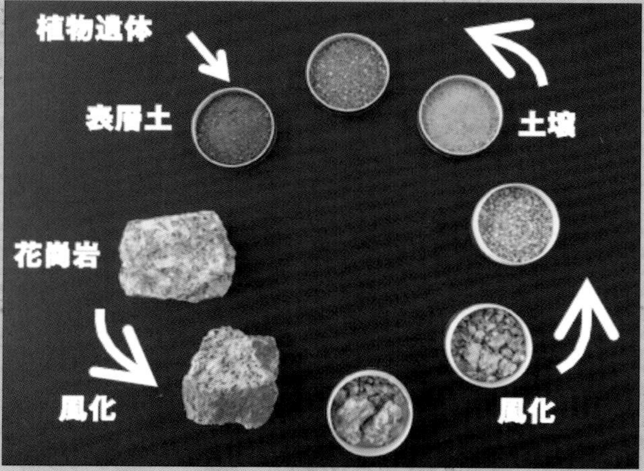

図1 花崗岩が風化して土になるまで。土は数億年かけてまた岩石(堆積岩やマグマ)に戻る。

図2 同じ土の量でミミズを飼育して団粒構造が形成された土(左)とミミズなしの単粒構造の土。

THEME.02
東ヨーロッパ
Eastern Europe

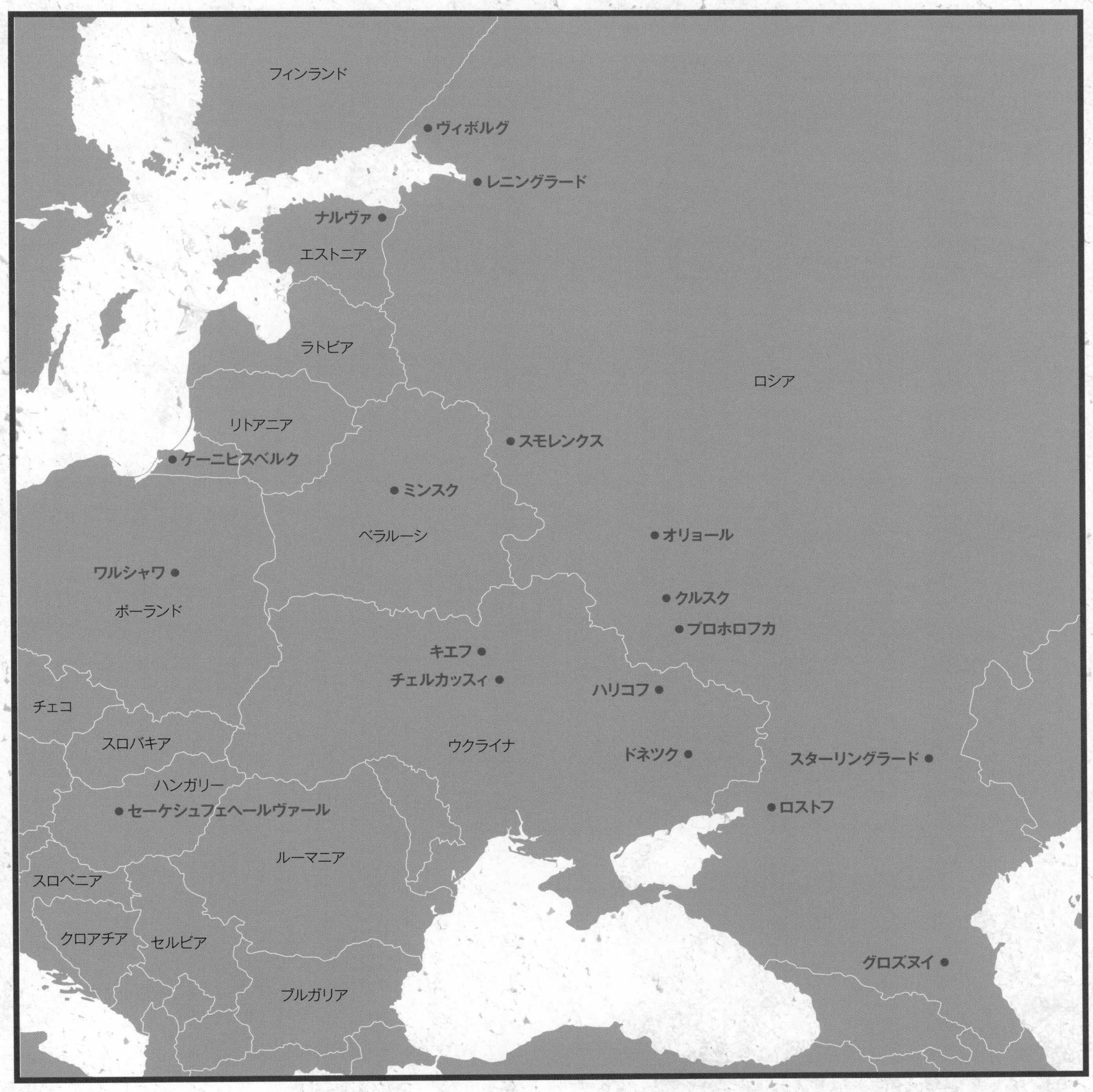

Eastern Europe

東ヨーロッパ

ヒトラーがドイツ民族の「生存圏」を求めて侵攻した大地
つかみ所なき大平原の把握が勝負所だ

第二次世界大戦の最大の激戦地となった独ソ戦の舞台、東ヨーロッパ。開戦時の境界は、北極圏から黒海北岸まで南北3000㎞にもおよぶ。極寒の凍土と雨期の泥濘、そして春に咲き乱れる一面の花畑。郷愁を誘うも厳しい大地だ。

エストニア都市のナルヴァとロシアの都市プスコフをつないでいた鉄道路線の跡。線路が作れるほどしっかりした土壌は東ヨーロッパらしい明るい茶系の土。それをうっそうと草木が覆っている事がわかる。
Photo by User 699

ナルヴァでの戦いを再現したダイオラマに登場した、ロジャー・ハークマンス氏作のSd.Kfz.250。履帯とタイヤの汚しを両立させることが重要だ。

エストニアの都市ナルヴァ。大戦中の激しい戦いで街のほとんどが廃墟となってしまったが、今ではエストニアで3番目に人口が多い都市となっている。3月で雪も残る時期。枯葉で覆われた地面の下は暗く、何年もこの枯葉が蓄積されて層となっているのだろう。
Photo by Geonarva

ナルヴァの土は湿っていても赤みを感じるので冬季迷彩で汚しても見栄えがする。乾くと埃っぽく、赤黄色い明るい色が特徴だ。
Photo by noonika

ナルヴァの戦い

●極寒の1944年２月、レニングラード方面の作戦というだけで身も凍るイメージだ。この地にはナルヴァ川などの大河川と無数の水路、沼沢地の間を縫うように盛り土の道路が作られていた。ほとんどは荒れ地であるため道路以外に大部隊が展開できる場所はない。その道路の多くでは、雪交じりの黒土が大部隊の往来により深く掘り返されていたのだ。

ナルヴァ
Narva

明るい色調だが、わずかに赤や黄色の要素が感じられる色味を選ぼう。タミヤアクリルのバフや、WCのライトグレイッシュは乾いた土汚れに最適。意外にもアモの北アフリカのダストも使いやすい。

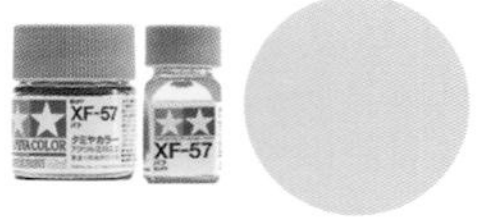

アクリル塗料ミニ／エナメル塗料
XF-57 バフ
●タミヤ

Mr.ウェザリングカラー
ライトグレイッシュ
●GSIクレオス

Mr.ウェザリングペースト
マッドホワイト＋マッドイエロー
●GSIクレオス

ファレホピグメント
ライトイエローオーカー
●ファレホ

ネイチャーエフェクト
ライトダスト＋アース
●アモ・バイ・ミグヒメネス

マッド
シック ソイル
●アモ・バイ・ミグヒメネス

アクリルマッド
乾燥地帯の地面
●アモ・バイ・ミグヒメネス

ピグメント
サンド
●アモ・バイ・ミグヒメネス

西ヨーロッパと同じように東ヨーロッパの土壌にも氷河の影響が強く見られます。大陸氷河に覆われたロシア北西部には永久凍土はありませんが、タイガと呼ばれる針葉樹林帯は乾燥と寒さが厳しく、落葉性のカラマツ林が多くなります。北欧に多いポドゾルはレニングラードなど北部には見られるものの、その南からミンスク、スモレンスクあたりまではやや乾燥し、ポドゾルほど白い砂層がはっきりしない粘土集積土壌が多くなります。腐植層が剥ぎ取られると、灰色の砂層とその下の赤褐色の粘土層(全体的には砂質だが、鉄サビが着色している)が露出します。ワインの産地として名高いハンガリーのバラトン湖、北東にあるセーケシュフェヘールヴァールもまた粘土集積土壌地帯に位置しますが、石灰岩上に赤い土(テラ・ロッサ)が見られます。

そこから南下すると、さらに乾燥したステップ(草原) 地帯となり、ヴォルゴグラード(スターリングラード) からウクライナまでの大部分は黒いチェルノーゼムが分布します。チェルノーゼムは世界でもっとも肥沃な土とされ、土の皇帝でとさえ呼ばれます。地平線の彼方までコムギ畑、牧草地が続きます。

より温暖、乾燥した気候では黒色が褪色し、栗色土(チェルノーゼムに属するP13参照)と呼ばれるようになります。なお、土の分布は気候や植生だけで説明されるだけでなく、ヴォルガ川下流域には上流部のポドゾル、粘土集積土壌より運搬された砂質土(分類上は未熟土)が堆積しています。

肥沃なチェルノーゼムにはもう一つの顔があります。腐植が多いために保水力が高く、水を含むと泥のようになるのです。ウクライナのことわざに、「冬、スプーン一杯の雨はバケツ一杯の泥となる」というものがあります。未舗装の道路は泥沼と化し、ウクライナに侵攻したナチスドイツ軍の戦車はスタックして身動きが取れなくなりました。東征の失敗によって、戦局も泥沼化したことを思えば、ヒトラーは土に泣かされたのかもしれません。 ■藤井一至

クルスクの戦い

●史上最大の大戦車戦、その舞台として有名なクルスクは、なだらかな丘陵と草原が入り交じった典型的なロシアの大地。境界線が曖昧な世界なので、むしろクルスクの激戦を惹起する工夫で臨むべきか。カチューシャのロケット弾と大口径榴弾砲のような、性質の異なる砲弾孔が重なり合うような演出が、クルスクらしさを生み出しそうだ。

オリョール
Oryol
クルスク
Kursk
プロホロフカ
Prokhorovka

腐植が多いチェルノーゼムは黒っぽさを感じる塗料を選ぶといい。乾いた色味ならグレイッシュブラウンにわずかにマルチホワイトを、湿った色味であればアモのアースなどがオススメ。

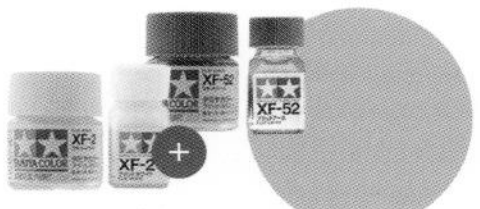
アクリル塗料ミニ／エナメル塗料
XF-52 フラットアース+
XF-2 フラットホワイト
●タミヤ

Mr.ウェザリングカラー
グレイッシュブラウン+マルチホワイト
●GSIクレオス

Mr.ウェザリングペースト
マッドホワイト+マッドレッド
●GSIクレオス

ファレホピグメント
ヨーロピアンアース
●ファレホ

ネイチャーエフェクト
ライトダスト+アース
●アモ・バイ・ミグヒメネス

ヘビーマッド
モイスト グランド
●アモ・バイ・ミグヒメネス

アクリルマッド
明るい色の地面
●アモ・バイ・ミグヒメネス

ピグメント
瓦礫+ホワイト
●アモ・バイ・ミグヒメネス

クルスクに広がるひまわり畑。土の色は、場所によって黄色みや赤みがあることがわかる。
photo by Leonid Andronov

クルスク戦ならではの車両、フェルディナント。足周りに注目してみるとクルスクらしく黄色みの土の色を再現しつつ、水気を含んだ暗い色味でメリハリを付けていることがわかる、平井 真氏の作品だ。

クルスクの緩やかな丘と平野。遮蔽物のないこの地域で行われた史上最大の戦車戦はあまりにも有名だ。
Photo by Oleg Krivolapov

ロシア、クルスク州にて。掘り起こされ、水気を含んでいるためか非常に暗い色の土が見える。
Photo by Анатолий Таранцов

ロシア連邦レニングラード州のガッチナ地区の森の中を通る道。車両が通った轍が目立つほど泥と水たまりが目立つ。
Photo by Leonid Evdokimov

レニングラード州にあるロジオノヴォ村。道路も凍り付いているようで、寒さが伝わってくる写真だ。道路先に見えるのは村が隣接する湖。
Photo by GAndy

レニングラード州フセヴォロシスキー地区。冬の暗い印象とは異なる春らしい色味が広がる。舗装されていない郊外の道は大戦中のような過去の情景を製作する際の土壌の色の再現にはとても参考になる。
Photo by Andris Malygin

クレアンクライ・パオジンダ氏の作品。見本の土色が水気を含むと、このレニングラードのティーガーⅠのように暗く重たい色になる。時期や天候を考え、乾いた土にさまざまな条件を追加しよう。

ロシア東部

●「少し赤みのある灰色」ロシア東部の土の色を一言でいうとこの表現に尽きると言っても過言ではない。この色を使えば大戦初期のバルバロッサ作戦から大戦後期のバグラチオン作戦まで、戦域を特定しないならウェザリングやダイオラマ作りで重宝する。ダークイエローとの色映えはパッとしないがジャーマングレーやダークグリーンとの相性はよい。

ドン川の河口のロストフも赤みのある灰色だが、上流より運ばれた黄色い砂も見られる。そんな砂はスターリングラードのヴォルガ川河岸でも見られる。チェチェン紛争で戦場になったグロズヌイも土壌の印象は同じだが、記録写真を見ると白っぽく埃が付着している様子が見てとれる。

ヴィボルグ（ヴィープリ）
Vyborg
レニングラード
Leningrad
ケーニヒスベルク
Konigsberg

独ソ戦を語る上で外せないレニングラードやケーニヒスベルク。赤みのある灰色の土汚れは、まさにロシア東部を指し示す色味だ。WC・WPの混色やファレホのヨーロピアンアースなど、塗料の選択肢は広い。

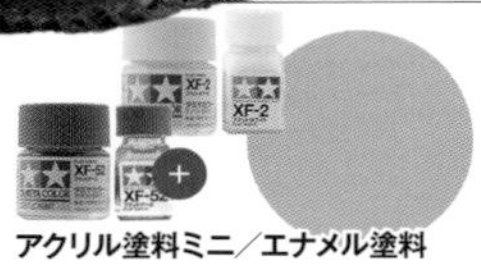

アクリル塗料ミニ／エナメル塗料
XF-52 フラットアース＋
XF-2 フラットホワイト
●タミヤ

Mr.ウェザリングカラー
ホワイトダスト＋グレーズレッド
●GSIクレオス

Mr.ウェザリングペースト
マッドホワイト＋マッドレッド
●GSIクレオス

ファレホピグメント
ヨーロピアンアース
●ファレホ

ネイチャーエフェクト／ウォッシュ
ライトダスト＋トラックウォッシュ
●アモ・バイ・ミグヒメネス

ヘビーマッド
モイスト グランド
●アモ・バイ・ミグヒメネス

アクリルマッド
暗い泥の地面
●アモ・バイ・ミグヒメネス

ピグメント
滑走路ダスト
●アモ・バイ・ミグヒメネス

ロストフ
Rostov

ロストフの戦いやブラウ作戦の舞台。上記の色味での塗装も可能だが、黄色よりの土もみられる地域だ。明るめのサンド色にごく少量のブラウンを混色するとよい。アモのピグメント、滑走路ダストもかなり近い色味だ。

アクリル塗料ミニ／エナメル塗料
XF-57 バフ＋
XF-9 ハルレッド
●タミヤ

Mr.ウェザリングカラー
ホワイトダスト＋ステインブラウン
●GSIクレオス

Mr.ウェザリングペースト
マッドホワイト＋マッドレッド
●GSIクレオス

ファレホピグメント
ヨーロピアンアース
●ファレホ

ネイチャーエフェクト／ウォッシュ
ライトダスト＋ライトラスト
●アモ・バイ・ミグヒメネス

ヘビーマッド
モイスト グランド
●アモ・バイ・ミグヒメネス

アクリルマッド
明るい色の地面
●アモ・バイ・ミグヒメネス

ピグメント
滑走路ダスト
●アモ・バイ・ミグヒメネス

スモレンスク
Smolensk

モスクワへと続く交通の要所であるスモレンスクでは、独ソによる激しい攻防が2度にわたり繰り広げられた。レニングラードと同様の特徴の色だが、やや灰色よりの明るい調色で塗装しよう。

アクリル塗料ミニ／エナメル塗料
XF-52 フラットアース+
XF-2 フラットホワイト
●タミヤ

Mr.ウェザリングカラー
ホワイトダスト+グレーズレッド
●GSIクレオス

Mr.ウェザリングペースト
マッドホワイト+マッドレッド
●GSIクレオス

ファレホピグメント
ヨーロピアンアース
●ファレホ

ネイチャーエフェクト
ライトダスト
●アモ・バイ・ミグヒメネス

ヘビーマッド
モイスト グランド
●アモ・バイ・ミグヒメネス

アクリルマッド
乾燥地帯の地面
●アモ・バイ・ミグヒメネス

ピグメント
瓦礫
●アモ・バイ・ミグヒメネス

スターリングラード
Stalingrad
グロズヌイ
Grozny
1

大規模な市街地戦が繰り広げられたスターリングラードは場所によってやや色味に違いがある。やや赤みのある灰色は、タミヤアクリルのフラットアースと白の混色や、アモのライトダストがピッタリ。

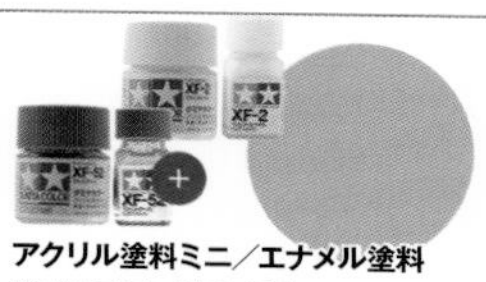

アクリル塗料ミニ／エナメル塗料
XF-52 フラットアース+
XF-2 フラットホワイト
●タミヤ

Mr.ウェザリングカラー
ホワイトダスト+グレーズレッド
●GSIクレオス

Mr.ウェザリングペースト
マッドホワイト+マッドレッド
●GSIクレオス

ファレホピグメント
ヨーロピアンアース
●ファレホ

ネイチャーエフェクト
ライトダスト
●アモ・バイ・ミグヒメネス

ヘビーマッド
モイスト グランド
●アモ・バイ・ミグヒメネス

アクリルマッド
乾燥した土
●アモ・バイ・ミグヒメネス

ピグメント
滑走路ダスト
●アモ・バイ・ミグヒメネス

スターリングラード
Stalingrad
グロズヌイ
Grozny
2

上記の色味とは違い、ヴォルガ川に近い場所では黄色よりの土もみられる。WCのホワイトダストやアモの北アフリカのダストは最適な色味。また、ファレホピグメントのデザートダストなどを併用してもいいだろう。

アクリル塗料ミニ
XF-78 木甲板色+
XF-2 フラットホワイト
●タミヤ

Mr.ウェザリングカラー
ホワイトダスト
●GSIクレオス

Mr.ウェザリングペースト
マッドホワイト+マッドイエロー
●GSIクレオス

ファレホピグメント
デザートダスト
●ファレホ

ネイチャーエフェクト
北アフリカのダスト
●アモ・バイ・ミグヒメネス

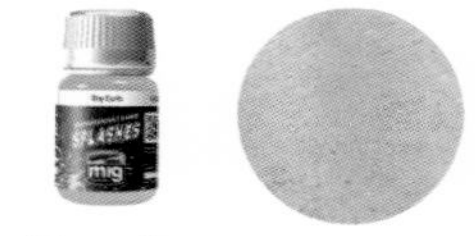

ヘビーマッド
ドライアース
●アモ・バイ・ミグヒメネス

アクリルマッド
乾燥地帯の地面
●アモ・バイ・ミグヒメネス

ピグメント
サンド+ホワイト
●アモ・バイ・ミグヒメネス

1942年の晩夏。スターリングラード近郊のカルムイク自治州(現在のカルムイク共和国)の平原で作戦を話し合うドイツ軍指揮官。掘り返されたような土が草原の中であらわになっている。
CC:Source:German Federal Archives

1942年6月に撮影とされる写真。スターリングラード付近で貨車から降ろされる際に攻撃を受けて破壊されたソ連軍のT-34。
Source:German Federal Archives

1995年1月、第一次チェチェン紛争。チェチェン共和国の首都グロズヌイで戦闘が一時中断している間にとられた写真。ロシア軍の激しい空爆や戦闘で廃墟だらけの街となってしまった。湿った土が寒さを強調している。
Photo by Mikhail Evstafiev

スターリングラード攻防戦は建物に甚大な被害をもたらした。市街地の地面は本来の土の色というよりも、瓦礫のコンクリートやレンガの色味で構成されていたと考えるほうが自然だろう。

2000年3月、グロズネンスキー地区から撤退するロシア軍第98空挺師団の第331空挺連隊の兵士たち。首都グロズヌイ周辺の土壌の色味がわかる。
Presidential Press and Information Office

ウクライナ、ドネツク州の川にかかる浮橋。2015年9月に撮影された写真らしく、ドンバス戦争が始まって1年ほど経ったときの物だ。川沿いらしく草木が豊富で湿り気を含んだ土も観察できる。
Photo by teteria sonnna

ミグ・ヒメネスが製作したT-72はクリミア紛争時の車両をモチーフにしており、土の質感が印象的だ。

ウクライナで2014年から続いているドンバス戦争で破壊されたT-64BV。場所は特定されていないが、ドネツク州とハーシング州が主な戦場となっているのでウクライナの東南部であろう。
Photo by teteria sonnna

クリミア紛争

●地勢や地形より、そもそも何が起こっているのか知りたいクリミア紛争。学校地理でおなじみの「黒土地帯」の末端に位置する、黒海に突き出た半島という土地柄のイメージは大切だ。ちなみに半島基部から東に広がるシヴァーシュと呼ばれる干潟、そのまま訳すと「腐海」となる。ナウシカ世界の腐海とは別物だけれど、想像を掻き立てられる。

ドネツク1
Donetsk 1

長らく続いているウクライナにおける紛争の中心地ドネツク。ウクライナ東部に位置しているが、場所によって土の色の印象が大きく異なる。黒みの強い土色はアモの暗い泥の地面が適している。

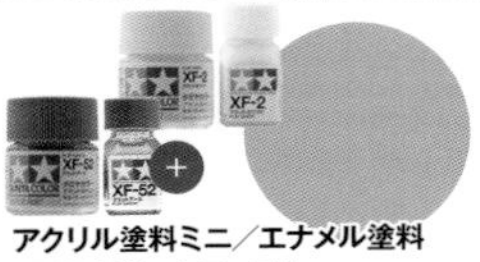

アクリル塗料ミニ／エナメル塗料
XF-52 フラットアース＋
XF-2 フラットホワイト
●タミヤ

Mr.ウェザリングカラー
ホワイトダスト＋グレーズレッド
●GSIクレオス

Mr.ウェザリングペースト
マッドホワイト＋マッドレッド
●GSIクレオス

ファレホピグメント
ヨーロピアンアース
●ファレホ

ネイチャーエフェクト／ウォッシュ
ライトダスト＋トラックウォッシュ
●アモ・バイ・ミグヒメネス

ヘビーマッド
モイスト グランド
●アモ・バイ・ミグヒメネス

アクリルマッド
暗い泥の地面
●アモ・バイ・ミグヒメネス

ピグメント
瓦礫
●アモ・バイ・ミグヒメネス

ドネツク2
Donetsk 2

やや黄色～オレンジよりの土色はWCのサンディウォッシュにラストオレンジを混色すると調色しやすい。さらにファレホピグメントのダークイエローオーカーなどを併用することで鮮やかすぎない塗装ができる。

アクリル塗料ミニ
XF-93 ライトブラウン（DAK 1942～）
●タミヤ

Mr.ウェザリングカラー
サンディウォッシュ＋ラストオレンジ
●GSIクレオス

Mr.ウェザリングペースト
マッドホワイト＋マッドイエロー
●GSIクレオス

ファレホピグメント
ダークイエローオーカー
●ファレホ

ネイチャーエフェクト
クルスクの土壌
●アモ・バイ・ミグヒメネス

スプラッシュ／ウォッシュ
ドライ ステップ＋ライトラスト
●アモ・バイ・ミグヒメネス

アクリルマッド
乾燥地帯の地面
●アモ・バイ・ミグヒメネス

ピグメント
北アフリカダスト
●アモ・バイ・ミグヒメネス

ドネツク3
Donetsk 3

くすんだ灰色の土も場所によって見ることができる。タミヤアクリルのミディアムグレイやアモのコンクリートなど、彩度を抑えた塗料を選択しよう。調色する際は過度に白っぽくなりすぎないようにも注意。

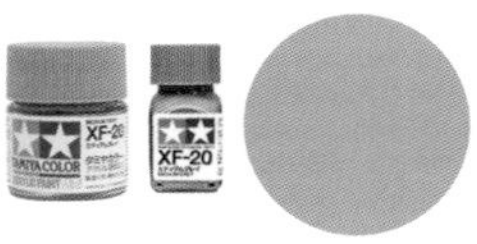

アクリル塗料ミニ／エナメル塗料
XF-20 ミディアムグレイ
●タミヤ

Mr.ウェザリングカラー
ホワイトダスト＋マルチグレー
●GSIクレオス

Mr.ウェザリングペースト
マッドホワイト
●GSIクレオス

ファレホピグメント
グリーンアース
●ファレホ

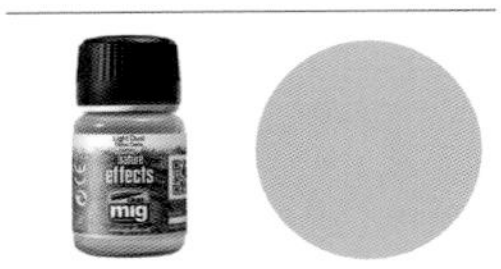

ネイチャーエフェクト
ライトダスト
●アモ・バイ・ミグヒメネス

ヘビーマッド
ドライ ライト ソイル
●アモ・バイ・ミグヒメネス

アクリルマッド
掘り起こされた地面
●アモ・バイ・ミグヒメネス

ピグメント
コンクリート
●アモ・バイ・ミグヒメネス

ミンスクはドイツ軍に包囲され激しい攻撃を受けた都市のひとつ。場所によっては黄色みのある色も見られる。
Photo by Da voli

ベラルーシの首都ミンスク。少し赤みのあるこまかい砂が固まったような土壌だ。
Photo by Zelyoniy.anton

意外と黄色いロシアの土壌。平井 真氏製作のIII号突撃砲B型は迷彩色との明度差が映える。

ベラルーシ

●ミンスクはシヴィスワチ川とニアミハ川の河畔に広がる自動車工業が盛んな商業都市。独ソ戦の主戦場にもなったこの近辺は、ほかの土壌と違い、粘土が集積された黄色みのある土が見られる。黄色い汚れはダークグリーンやジャーマングレーの車両によく映える。

ミンスク1
Minsk 1

ミンスクの戦いや、バグラチオン作戦の舞台となった土地。WPのマッドイエローにマッドホワイトの混色やタミヤアクリルの木甲板色など、黄色みの強めな塗料を使おう。アモのドライステップもオススメ。

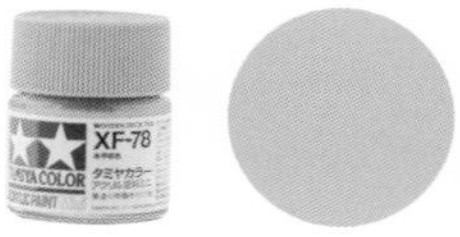

アクリル塗料ミニ
XF-78 木甲板色
●タミヤ

Mr.ウェザリングカラー
オーカーソイル＋マルチホワイト
●GSIクレオス

Mr.ウェザリングペースト
マッドホワイト＋マッドイエロー
●GSIクレオス

ファレホピグメント
ライトイエローオーカー
●ファレホ

ネイチャーエフェクト
北アフリカのダスト
●アモ・バイ・ミグヒメネス

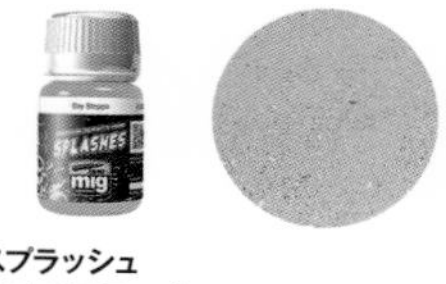

スプラッシュ
ドライ ステップ
●アモ・バイ・ミグヒメネス

アクリルマッド
乾燥地帯の地面
●アモ・バイ・ミグヒメネス

ピグメント
北アフリカダスト
●アモ・バイ・ミグヒメネス

ミンスク2
Minsk 2

上記よりもやや赤みのある土色の場合、WPはマッドレッドをベースに混色する。ミンスクやベラルーシでは粘土質な土が多いため、やや粘りのある表現ができるペースト系の塗料を使用したい。

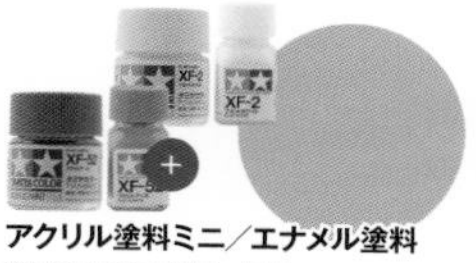

アクリル塗料ミニ／エナメル塗料
XF-52 フラットアース＋
XF-2 フラットホワイト
●タミヤ

Mr.ウェザリングカラー
ホワイトダスト＋グレーズレッド
●GSIクレオス

Mr.ウェザリングペースト
マッドホワイト＋マッドレッド
●GSIクレオス

ファレホピグメント
ヨーロピアンアース
●ファレホ

ネイチャーエフェクト／ウォッシュ
ライトダスト＋トラックウォッシュ
●アモ・バイ・ミグヒメネス

ヘビーマッド
モイスト グランド
●アモ・バイ・ミグヒメネス

アクリルマッド
明るい色の地面
●アモ・バイ・ミグヒメネス

ピグメント
瓦礫
●アモ・バイ・ミグヒメネス

春の目覚め作戦

●ドイツ軍最後の大攻勢「春の目覚め作戦」の主戦場となったハンガリー西部のバラトン湖周辺も、粘土が集積された黄色く明るい灰色の土がみられる。作戦当時は道がぬかるみ、下のサンプルより暗い灰色が似合いそうだ。

セーケシュフェヘールヴァール
Szekesfehervar

粘土質な灰色の土色なので、比較的くすんだ色味の塗料を使用する。乾いた土色の再現であればこれらの塗料でよいが、湿った表現にする場合は、WPのウェットクリアを塗り重ねるとよいだろう。

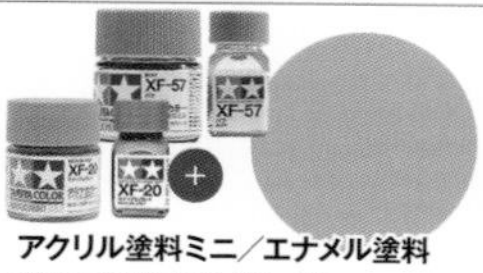

アクリル塗料ミニ／エナメル塗料
XF-20 ミディアムグレイ＋
XF-57 バフ
●タミヤ

Mr.ウェザリングカラー
マッドアンバー＋マルチホワイト
●GSIクレオス

Mr.ウェザリングペースト
マッドホワイト＋マッドイエロー
●GSIクレオス

ファレホピグメント
ライトシェンナ
●ファレホ

ネイチャーエフェクト
ライトダスト
●アモ・バイ・ミグヒメネス

ヘビーマッド
トルネードアース
●アモ・バイ・ミグヒメネス

アクリルマッド
明るい色の地面
●アモ・バイ・ミグヒメネス

ピグメント
シナイダスト
●アモ・バイ・ミグヒメネス

バラトン湖のすぐ近くにあるリトル・バラトン(Kis Balaton)と呼ばれる湖。ドイツ軍が発起した春の目覚め作戦は別名バラトン湖の戦いとも呼ばれるように、この周辺で展開された。
photo by Derzsi Elekes Andor

吉岡和哉氏のパンターA型は春の目覚め作戦時を再現したもの。湿り気の表現が秀逸だ。

ウクライナ

●第二次世界大戦では独ソ戦で戦場になり、いまも地域紛争が続いているウクライナ。キエフやチェルカッスィの土壌はロシアでよくみられる少し赤みのある明るい灰色。ハリコフはクルスクに近い赤みのある明るい灰色だが、黄色く明るい灰色の場所もある。この地域も水を含むと黒く色の印象が違ってくる。

2015年9月に撮影されたウクライナ軍のT-64BV。手前に写る土壌の色が車体にも反映されている。キレイなナンバープレートが印象的。履帯には土が詰まっているようには見えない。土が詰まりにくい形状なのか、移動すれば自然と取れてしまうのだろう。
Photo by Vitalii Lytvynov

ウクライナ国内で演習中のT-64BV。完全に乾燥している荒地だが、巻き上げている砂埃の量から速度はあまり出ていないようだ。ウクライナの土壌も乾燥すると明るめのグレーとなる。
Photo by Ministry of Defense of Ukraine

ウクライナ国内で移動中のT-64BV。これだけの泥水を被れば基本塗装は見えなくなってしまうだろう。車体には徐々に乾いて色味が変化してゆく泥汚れが見られる。
Photo by Ministry of Defense of Ukraine

キエフ
Kiev
チェルカッスィ
Cherkasy

キエフの戦いやコルスン包囲戦の舞台となった、ドニエプル川沿岸の地域。チェルノーゼムが広がり、降水量は日本の半分程度。WCやWPの混色でやや赤みのある灰色、もしくはアモのライトダストがオススメ。

アクリル塗料ミニ／エナメル塗料
XF-55 デッキタン＋
XF-10 フラットブラウン
●タミヤ

Mr.ウェザリングカラー
ホワイトダスト＋グレーズレッド
●GSIクレオス

Mr.ウェザリングペースト
マッドホワイト＋マッドレッド
●GSIクレオス

ファレホピグメント
ヨーロピアンアース＋チタニウムホワイト
●ファレホ

ネイチャーエフェクト
ライトダスト
●アモ･バイ･ミグヒメネス

ヘビーマッド
モイスト グランド
●アモ･バイ･ミグヒメネス

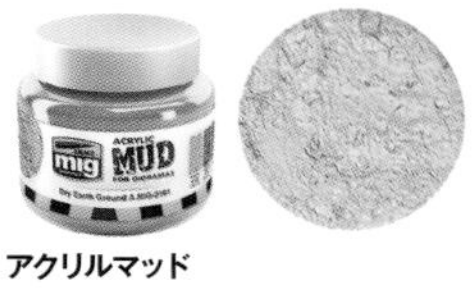

アクリルマッド
乾燥した土
●アモ･バイ･ミグヒメネス

ピグメント
瓦礫＋ホワイト
●アモ･バイ･ミグヒメネス

ハリコフ1
Kharkiv 1

独ソにより3度の大規模な攻防戦が展開されたハリコフ。明るく黄色い土色はタミヤアクリルのライトブラウンやWPのマッドイエローが適している。アモのクルスクの土壌もこちらの色味に近い塗料だ。

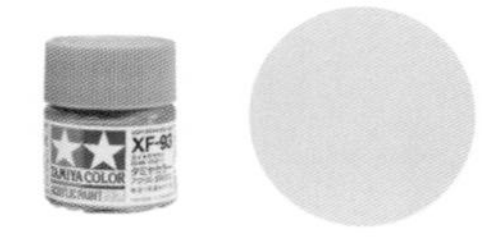

アクリル塗料ミニ
XF-93 ライトブラウン(DAK 1942〜)
●タミヤ

Mr.ウェザリングカラー
サンディウォッシュ＋ラストオレンジ
●GSIクレオス

Mr.ウェザリングペースト
マッドイエロー
●GSIクレオス

ファレホピグメント
ダークイエローオーカー
●ファレホ

ネイチャーエフェクト
クルスクの土壌
●アモ・バイ・ミグヒメネス

スプラッシュ
ドライ ステップ
●アモ・バイ・ミグヒメネス

アクリルマッド
乾燥地帯の地面
●アモ・バイ・ミグヒメネス

ピグメント
北アフリカダスト
●アモ・バイ・ミグヒメネス

ハリコフ2
Kharkiv 2

湿った土の印象があるが、意外と降水量は少ない。クルスクとは南北の位置関係のため、似たような赤みのある灰色の土も見られる。タミヤのミディアムグレイや、アモのライトダストなど明るめの色を使おう。

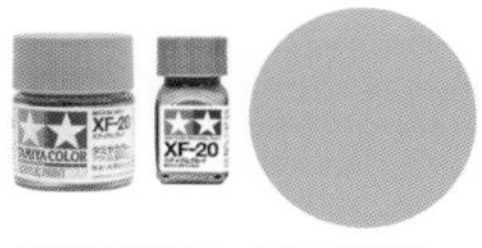

アクリル塗料ミニ／エナメル塗料
XF-20 ミディアムグレイ
●タミヤ

Mr.ウェザリングカラー
ライトグレイッシュ＋マルチグレー
●GSIクレオス

Mr.ウェザリングペースト
マッドホワイト
●GSIクレオス

ファレホピグメント
グリーンアース
●ファレホ

ネイチャーエフェクト
ライトダスト
●アモ・バイ・ミグヒメネス

ヘビーマッド
ドライ ライト ソイル
●アモ・バイ・ミグヒメネス

アクリルマッド
乾燥した土
●アモ・バイ・ミグヒメネス

ピグメント
コンクリート
●アモ・バイ・ミグヒメネス

ウクライナ、ハリコフ州。乾いた白い土が特徴的。樹木や乾いた草など色味の種類が多く、情景にするとグランドワークもカラフルになるはずだ。
Photo by Vitalii Lytvynov

ウクライナ北東部の都市ハルキウ(ハリコフ)。雪に覆われ凍り付いた土壌。第二次世界大戦中に4度にわたってこの都市にて攻防戦が行なわれた。この土地の色味や同じ時期の状態は現在も変わらないだろう。
Photo by Oleg Seliverstov

ウクライナ国内のハリコフ地方の村で撮られた写真。乾燥した明るめのグレーの土の色がわかる。
Photo by MOs810

ハリコフ戦らしさが際立つ、クレアンクライ・パオジンダ氏作のⅢ号戦車。地面、足周りともにほとんど雪で覆われているが、草木の周りや履帯がえぐった轍など、チラッと見える土の姿にも工夫を凝らしたいところだ。

泥表現Tips 02
DAMP SOIL SPOT

Sturmgeschütz III Ausf.E
1941 Russia

土の湿り気を塗り込む

多種多様な色味のウェザリングマテリアルがあっても、そのほとんどは乾燥すると乾いた質感になる。しかし、実際の泥や土は水気を含んでいることが多い。乾いた状態のマテリアルをいかに水気を含んだ表情にするかが、泥、土ウェザリングの完成度に大きな差を生む。

使用キットは『独・Ⅲ号突撃砲E型』。ブロンコモデル、1/35スケールの非常に精密なキットだ。製作はさまざまなマテリアルを使ったウェザリングと得意とする平井 真氏。乾いた質感→湿った質感に変化する過程を紹介する。

1 手を加えた箇所は省略されているライトコードの追加。予備の転輪や履帯、ＯＶＭを他社の余剰パーツから持ってきている。車体後部に荷物を置くための簡易ラックをプラ材で増設。フェンダーを曲げてぶつかった際のダメージを再現した。

2 塗装の剥がれ防止目的で金属素材にメタルプライマーを塗布。基本塗装は全てエアブラシで行なう。サーフェーサーを吹いて表面の状態をチェック。傷を均してからチッピングベース色をエアブラシ塗装。下部はジャーマングレーで塗る。

3 GSIクレオスのMr.シリコーンバリアを塗布。これは塗膜はがしのチッピングを行なため不要ならば行なわなくてもてもいい。基本塗装はタミヤアクリル塗料のジャーマングレイを使用。うすめ液1、塗料1の希釈具合いで厚吹きにならないように注意しよう。

4 ジャーマングレイにホワイトの少量混ぜて、パネルラインは先に塗ったグレイを残しつつ、面の中心を明るくしてグラデーションを付ける。光の良く当たる水平面は明るく、垂直面はグレーを残すことで立体的な仕上がりになる。

泥の立体的な基礎を盛り、ウェザリングの下地を作る

こびりついた泥は埃と違い、立体的な表現が必要となる。絵を描くときと同じように、まずは下地をしっかりと構築してからじっくりとウェザリングを行なう。まずはさまざまなウェザリングマテリアルを駆使して乾いた泥のベースを作る。

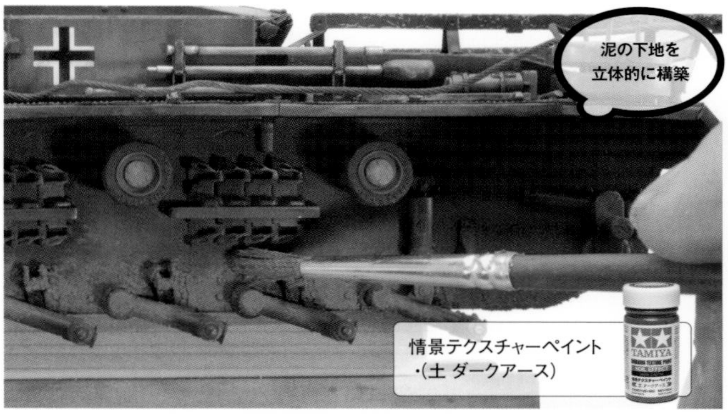

1 タミヤの情景テクスチャーペイントをこびり付いた泥の下地として塗り付ける。土が溜まりそうな箇所を中心に塗ろう。可動して擦れる部分には塗らないでおく。

2 走行時、履帯の泥ハネを考慮して前面よりも後面に多くの泥を付けるのがセオリー。ここで使用したテクスチャーペイントは素材の食い付きが良く、乾燥後の塗膜も強固。アクリル系塗料なので、上塗りするエナメル系ウェザリング塗料の影響で溶けだす心配もない。泥の層を厚く形成したい時に有効な素材だ。

3 ウェザリングペーストにリアルサンド(情景用のこまかい砂) を入れながらよく攪拌する。これが乾燥すると「固まった泥」の質感になる。この自作の泥ペーストをテクスチャーペイントの上からさらに盛り付けて固まった泥のボリュームを増やしていく。色味はピグメントを加えることで変化させることが可能。

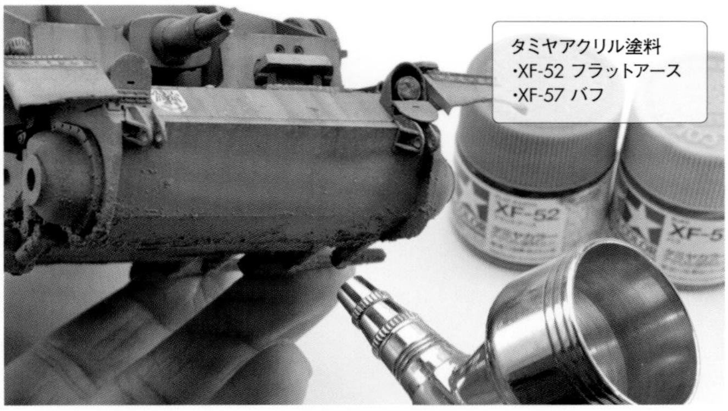

4 埃色をエアブラシで吹き付け。上部ほど明るくしつつ、地面に近い下部は若干暗くするとより深みが増す。少しムラが出るぐらいで大丈夫。

5 エナメル系ウェザリング塗料を筆で塗り溶剤でボカす。重力方向に伸ばすのがコツ。エナメル系塗料を使えば先の埃色を侵す心配がないのでオススメ。

6 希釈したMr.ウェザリングペーストを0.5㎜径のエアブラシで吹く。粒子の大きい塗料を強引に吹くことで実際の泥ハネと同じような効果が生まれる。

▲使うツールを変えると同じ塗料でも仕上がりに差が出る。イメージに応じて選択しよう。ヘビーな土汚れは単調に見える。このあとでさらに泥色を追加して深みを出すので、これくらいの汚れで止めるのがベスト。

クリアー系塗料でウェットな質感を生み出す

乾いた泥のベースができ上がったら、クリアー系の塗料を使用して濡れた質感を作り出していく。ただ、がむしゃらに塗りたくるのではなく、自然の法則にしたがって塗りこむことがリアルな表現に繋がっていく。

乾燥した土に湿り気を加えられるクリアー塗料たち

Mr.ウェザリングペースト
ウェットクリアー

ネイチャーエフェクト
濡れている効果

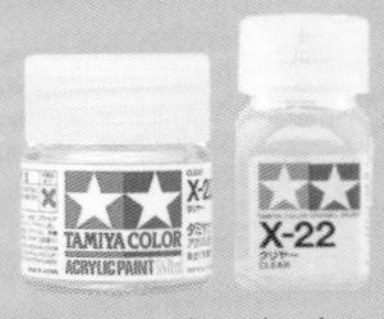

タミヤアクリル／エナメル
X-22 クリアー

ネイチャーエフェクト
フレッシュエンジンオイル

各社から発売されているクリアー塗料は、比較的、粘度が高く調整されているものが多い。仕上がりに応じて適度に希釈するのが重要。なかでもGSIクレオスのウェットクリアーは水飴のような粘度があり、水たまりの表現にも使える便利なアイテムだ。下地を侵しにくい塗料の選択は塗り重ねることが前提のウェザリングにおいて重要な要素。エナメル系塗料を選ぶのがその理由である。はじめから着色されたエンジンオイル再現用塗料はオイル以外にも泥の湿った質感を追加表現してくれる。エナメル系塗料よりも滲みにくいアクリル系塗料のクリアーはピンポイントの湿り気表現に威力を発揮する。滲ませ方によってエナメル塗料とアクリル塗料を使い分けてみることもポイントのひとつだ。

1 濡れた様子はクリアー系のウェザリング塗料を筆で描き込む。境界をクッキリさせてツヤを出すと濡れた直後の感じが出せる。塗料を薄め過ぎないのがコツ。

2 筆に含ませた塗料を弾き飛ばすスパッタリングで泥ハネを再現。お手軽だが粒が大きいとオーバースケールになるので注意。付け過ぎたらうすめ液でボカすといい。

3 エナメル系クリアー塗料はツヤ消し面に塗ると乾燥後にツヤが失われることがある。一度に厚塗りするより乾燥させつつ塗り重ねたほうが自然なツヤが再現できる。

4 乾き始めた水の表現はアクリル系のセミグロスクリアーを使うと半ツヤに仕上がり、テカり過ぎる心配もない。履帯の泥にモデリングウォーターを追加しさらに湿り気を強調する。アクリル系塗料のフラットアースを混ぜると泥水感が出て効果的。

5 転輪にピグメントをのせてからアクリル系うすめ液を垂らして定着させる。乾いて固着した土を想定しているので思った状態になるまで繰り返す。

6 ピグメントを盛りつけたい場合は一度で上手く決まらないことが多々ある。諦めずに2〜3回重ねると次第に粒子感が出てくる。ピグメントの色も明暗変えて2〜3色使うとのっぺりした印象にならない。余分に付いたピグメントは毛の硬い細筆で慎重に払い落とそう。

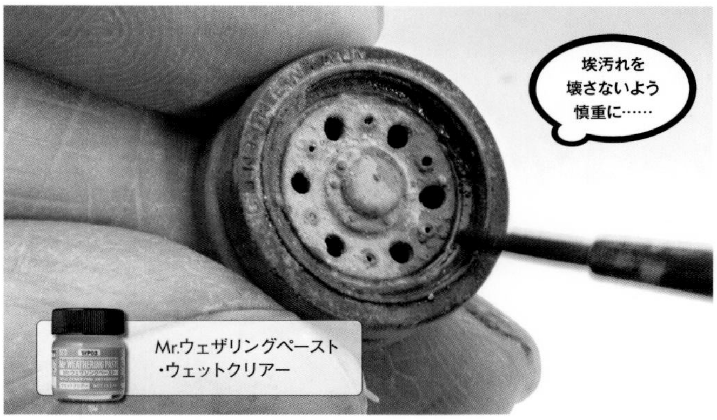

7 転輪の縁に溜まった泥をMr.ウェザリングペースト ウェットクリアーで再現、筆で塗る。さらに生乾きの状態でピグメントをまぶすと湿り気を帯びた泥になる。

8 クリアー塗料の効果でピグメントの埃色が暗くなることでモールドが強調され引き締まって見える。明暗差による情報量が増えたことがわかるだろう。仕上げにクリアー塗料をスパッタリングして水ハネを追加するとより実感が高まる。さらに泥を盛りたい場合はピグメントでは限界があるのでペーストを使おう。

9 Mr.ウェザリングペーストにピグメントや砂を加えてかき混ぜ続けると溶剤成分が飛んで泥の塊のような固形物ができる(乾燥ブースで温めながら混ぜるとよい)。これを履帯に詰まった泥表現に使用する。 その後、マークセッターで定着させた。

10 最初に付けた泥の塊に湿り気を与える。Mr.ウェザリングペースト ウェットクリアーにMr.ウェザリングカラーグランドブラウンを混ぜて単調にならないようにする。

11 エナメル系塗料をプラスチック製可動履帯に流し込むとピンが折れる危険があるので、スパッタリングで塗料を少量飛ばす。履帯の表情に幅を持たせるのが目的。

12 水たまりを走り抜けた履帯を再現するための例としてモデリングウォーターを使った方法を紹介する。泥水にするため水性アクリルのフラットアースをごく少量入れて混ぜる。これを履帯の奥まった部分に爪楊枝で載せていく。乾燥後は取り除くことが不可能なので数回に分けて様子を見ながら載せていくのがいいだろう。

泥表現Tips 02
DAMP SOIL SPOT

このⅢ号突撃砲の製作では、乾燥した車体上面の埃と湿り気を帯びたフェンダー部分に溜まった土。そして湿った泥地を走ることで泥が付着した足周り。それらの違いを表現することを念頭に塗装を進めている。ぬかるんだ泥道を走破した車両を作るのであればもっと暗い泥で足周りを覆ってしまっても構わない。注意すべき点は車体の色がジャーマングレーでさらにハードな泥汚れになると作品全体の印象が暗く沈んでしまう恐れがある。見せ場を増やす目的で布地の赤を配色したり、後部ラックに荷物類を置くのもひとつの手だろう。しかし闇雲に色数を増やしても散漫になるだけだ。赤などのビビットな差し色は一箇所に止めておくのが無難だろう。

ロシアの土壌は一概には言えないが、赤みのあるグレーや黄色みの土の場合が多い。また、この作例のように水気を含むと、土の色は途端に変わって見える。色見本と水気を含んだ土色の差に注意しよう。

Sturmgeschütz III Ausf.E Sd.Kfz.142

RUSSIA 1941

土の小噺❷

陶芸家の土 農家の土

by藤井一至

「世界の土が12種類に分類できる」と私が紹介すると、陶芸家の方から叱られてしまう。「今まで長く土と触れてきたが、二つとして同じ土はなかった」というのだ。ある場所にできる土は、その場所の気候、時間（年代）、地質（岩石）、地形、生物という五つの要因によって決まる。世界にすべての環境条件が同じ場所は二つとして存在しない。私も同じ土は一度も見たことはない。これは、遺伝子がほとんど同じホモ・サピエンスに、同じ顔、同じ性格の人間がいないのと似ているのだ。

一方で、血縁関係が近い、あるいは育つ環境が似ている場合には、顔や性格に共通点も多く見つかることがある。これは土も同じである。土の氏や育ちを決める気候、時間、地質、地形、生物の条件が似ていると、似たような土が見つかる。農業に利用する場合には、栽培できる作物や管理の仕方が同じになるだろう。農家が適地適作を確立するために、似たような土をグループ化していく取り組みが行われたのだ。その結果、世界の土を最も大雑把に10種類の土に分ける土壌分類（Soil Taxonomy）が米国農務省によって提案されることになった。その後、アラスカ州の永久凍土が追加され、日本が火山灰土壌（黒ボク土）の追加を求めた結果、12種類となったのである（**図3**）。

米国だけでなく、国や機関によってさまざまな土壌分類法が存在している。国際連合食糧農業機関（FAO）の提案する土壌分類（World reference base for soil resources 2014 (WRB) http://www.fao.org/3/i3794en/I3794en.pdf）は32種類の土に分類をしている。分類法に優劣は付けにくく、目的に応じて使い分けることになるのである。国際分類ではほぼ3種類だけになってしまう日本の土も、より詳細な国内分類によって6〜10種類に分けられる（**図4**）。模型で求められる正確さは陶芸家の求めるものに近いかもしれない。この本で紹介している各地の土壌の性質は、大まかな国際分類に基づく土壌地図と現地の詳細な土壌地図、そして現地での調査経験に基づいて記述がされている。

その一方で、どこまでも土は多様である。気候、時間、地質、地形、生物の条件をもとに自分の再現したい環境の土を推測することも必要となる。気候は、まず極端に乾燥した砂漠土、寒冷な永久凍土の分布を切り分ける。砂漠土では塩類集積が起こり、白い塩分が地表に析出する場合がある。雨が増えることで生物活動が活発になることで腐植が増加し、岩石の風化も促進されて粘土も増加していく。これは日本の土がネバネバする理由だ。粘土が腐植を吸着することで、草原や森林の土は黒色〜褐色なる。ただし、熱帯雨林のように微生物活性が最大となる条件では腐植の分解も促進され、強度の風化によって粘土の吸着力が弱まるため、腐植の少ない赤い土（南米、アフリカ）や黄色い土（主に東南アジア）が増加する。南米、アフリカと東南アジアの土の違いには地質年代も影響し、数億年前のゴンドワナ大陸を構成した南米、アフリカの古い大陸では長期の風化によって鉄が濃縮し、赤い土が増加するのだ。

花崗岩に由来する土は砂に富むために白くなりやすく、玄武岩に由来する土は粘土（鉄サビ粘土）に富むために赤くなりやすい性質がある。日本で西日本の小学校の校庭が白いといわれるのは花崗岩の真砂土が多く使われているためなのだ。北海道、東北、関東、九州は年代の古い火山灰と黄砂の混合物（関東ロームに相当）を用いる場合、校庭の土は少し赤く見える。低地では、河川が運ぶ際に重さ別に分離し、粒子サイズのそろった土砂（園芸店で見られる荒木田土、川砂など）が堆積する傾向がある（**図5**）。

地形は急峻な斜面では侵食によって土が失われやすく、岩肌が露出しやすくなる。一方、低地では侵食した土砂が堆積するため、土が深くなる。低地では湿潤にもなるため、植物生産も活発で腐植の蓄積の多い黒い土が多くなっていく。湿地帯では泥炭土が分布している。

生物には植物、動物、微生物、そしてヒトが含まれる。植物は腐植の供給源としてだけでなく、気候とともに土を形作っている。動物の影響も大きく、北米プレーリーではプレーリードッグやジリスが土に巣穴をほることで土を耕し、深い腐植層を持つチェルノーゼムを発達させている。日本では、モグラが火山灰土壌（黒ボク土）を耕している。

これらの動物よりも短い時間で急速に、より大規模に土を、そして生態系を改変してきたのがヒトだ。主たる影響は農地化と都市化である。森林伐採による乾燥化、砂漠化はメソポタミア文明の崩壊や戦争の要因にもなってきた。模型に関しては、戦車による土の圧密、車輪による侵食による路面の凹凸（轍）の発達という影響があるが、影響の大きさは土の構成成分、他の土壌生成因子によっても異なっている。再現する環境の土が必ずしもひとつに決まらないことは制作者に自由をあたえる反面、土壌地図や土の一般則による制約も受けることになるのである。■

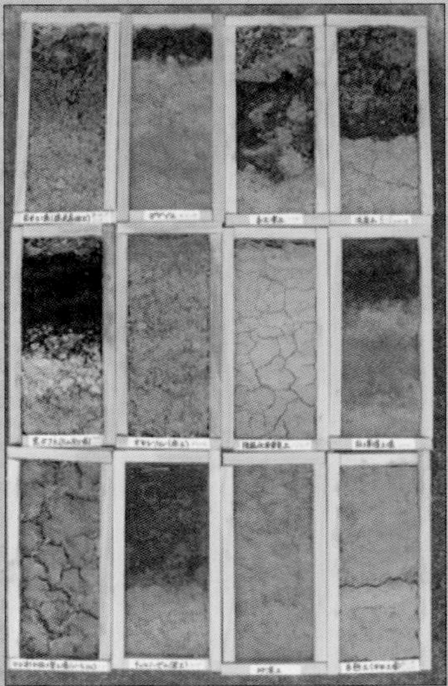

図3 12種類の土壌

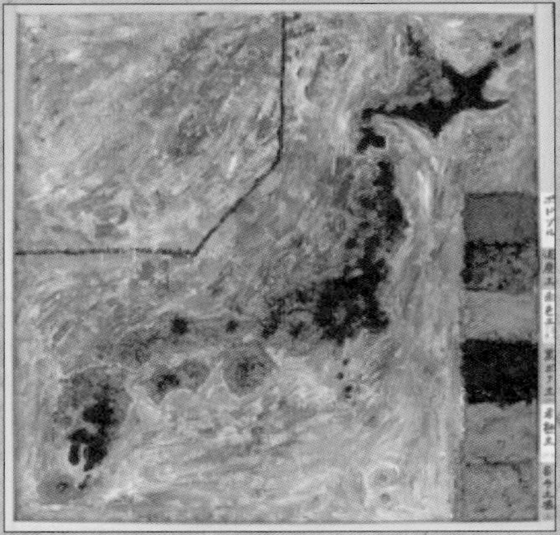

図4 日本の土の地図

図5 異なる土で作る光る泥団子

THEME.03
南ヨーロッパ 北アフリカ

Southern Europe North Africa

Southern Europe North Africa

南ヨーロッパ 北アフリカ

ローマ帝国を育んだ「我らの海」を囲む世界 照りつける陽光の下の、意外な多様性が魅力だ

地中海性気候という区分でひとくくりにされるこのエリアだけれど、海を挟んだ南北ではだいぶ様相が異なる。もともとはどちらも森林が広がっていたが、その後に興った古代文明によって切り開かれ、現在につながるのだ。

1943年のイタリア戦線でのM4A1(75)を、1/48スケールながら雰囲気たっぷりに仕上げたミグ・ヒメネスの作品。

イタリアシチリア島のある自然保護区周辺。シチリア島も連合軍が上陸作戦を行なったイタリア南部の島で、この画像が撮られたジェーラ自治体の地域はアメリカ軍の第1、第4レンジャー大隊が上陸した地点だ。
Photo by Davide Mauro

イタリア、バルカン半島はフランスと同じく、大陸氷河の影響を受けていません。このため、バルカン半島はもともとの地形の複雑さを反映して、若手土壌、岩がちな未熟土、粘土集積土壌、泥炭土、チェルノーゼムが点在しています。イタリアは黄土色系の粘土集積土壌、若手土壌が国土の大半を占めます。地中海性沿岸の石灰岩地帯では赤い土（テラ・ロッサ、粘土集積土壌の一つ）で、オリーブやブドウ（ワイン用）の生産が盛んです。石灰岩の影響による中性～アルカリ性条件では赤い鉄サビ（ヘマタイト）を生じるためです。

コロッセオの建築に使われたローマン・コンクリートがナポリの火山灰を使っているように、イタリア中部およびシチリア島には火山灰の堆積した土壌が分布しています。火山灰に埋没した都市ポンペイもその一つです。火山灰の堆積後、時間が充分に経っていない場所では火山灰の灰色が強い未熟土となり、充分に時間を経ている地域では日本と同じように黒ボク土の発達が見られます。ただし、温暖湿潤な夏をもつ日本とは異なり、地中海性気候のイタリアでは夏季に乾燥するため、土が乾き、やや灰色を帯びる傾向があります。サラサラしたシルト質の成分が多くなります。

地中海を挟んだ対岸のチュニジアの地中海沿岸部はアフリカの中では降水量も1000㎜前後と多く、地中海性気候では粘土集積土壌が分布します。南部のサハラ砂漠は、岩石砂漠、礫砂漠が多く分布します。このような砂漠から風によって失われた砂は、アルジェリアからエジプトにかけて広がる砂砂漠や中東に堆積します。

エジプトのナイルデルタは年降水量200㎜以下の乾燥地ですが、ナイル川の自然氾濫が1年に1ミリの厚さの泥を堆積させます。泥には、エチオピア高原を削った青ナイルの届ける栄養豊富な土砂（スメクタイト粘土や長石や雲母）と遠く中央アフリカのビクトリア湖から流れる白ナイルの届ける白色の石英粒と熱帯泥炭に由来する茶色い溶存有機物（フルボ酸）が含まれます。

■藤井一至

アンツィオ

●上陸作戦は首尾よく進むも、作戦自体はローマ占領という大魚を逸する結果に終わった戦い。海岸線を除けば内陸部はやがて赤茶けて乾いた土と、ぶどう園やオリーブの林が点在する風景となる。埃っぽい、乾ききった地面と陽光の演出がベースとなるが、降雨の直後、雲の切れ間から暴力的に差し込む強烈な陽光のコントラストも見事な世界だ。

アンツィオ
Anzio

連合軍による上陸作戦が展開された、ティレニア海に面するアンツィオ。乾燥した赤みを帯びた土は、タミヤアクリルのバフにハルレッドを加えるなど、白系の塗料に少量の赤を加えたもので再現しよう。

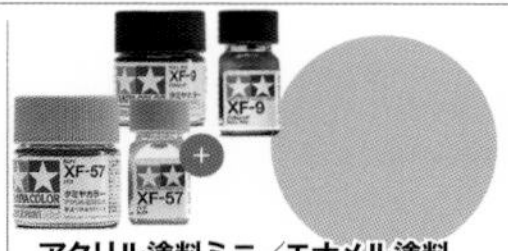

アクリル塗料ミニ／エナメル塗料
XF-57 バフ＋
XF-9 ハルレッド
●タミヤ

Mr.ウェザリングカラー
ホワイトダスト＋ステインブラウン
●GSIクレオス

Mr.ウェザリングペースト
マッドホワイト＋マッドレッド
●GSIクレオス

ファレホピグメント
ニューラスト＋デザートダスト
●ファレホ

ネイチャーエフェクト／ウォッシュ
北アフリカのダスト＋ライトラスト
●アモ・バイ・ミグヒメネス

ヘビーマッド
モイスト グランド
●アモ・バイ・ミグヒメネス

アクリルマッド
明るい色の地面
●アモ・バイ・ミグヒメネス

ピグメント
瓦礫＋ホワイト
●アモ・バイ・ミグヒメネス

イタリア戦線

●南北に長いイタリア半島で、これを使えば間違いないという色は流石に難しい。ただ明るめに調色しておけば雰囲気はでる。石灰岩が影響しているせいかモンテカッシーノでは白く明るい灰色の土。シチリア島のジェーラは白黄色い灰色が特徴。

モンテカッシーノ
Monte Cassino

モンテ・カッシーノは標高519mの岩山。イタリア戦線において連合軍の激しい爆撃にあった地域だ。タミヤアクリルのデッキタンやアモのドライライトソイルなど、明るい灰色の塗料は選択肢が広い。

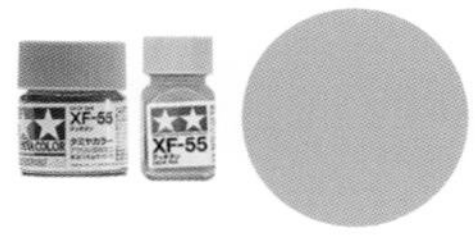

アクリル塗料ミニ／エナメル塗料
XF-55 デッキタン
●タミヤ

Mr.ウェザリングカラー
ホワイトダスト＋マルチホワイト
●GSIクレオス

Mr.ウェザリングペースト
マッドホワイト
●GSIクレオス

ファレホピグメント
グリーンアース
●ファレホ

ネイチャーエフェクト
ライトダスト
●アモ・バイ・ミグヒメネス

ヘビーマッド
ドライ ライト ソイル
●アモ・バイ・ミグヒメネス

アクリルマッド
乾燥した土
●アモ・バイ・ミグヒメネス

ピグメント
コンクリート
●アモ・バイ・ミグヒメネス

ジェーラ
Gela

シチリア島南西部の地中海に面するジェーラは、ハスキー作戦での連合軍による上陸作戦が展開された街だ。モンテカッシーノよりわずかに黄色く、アモの乾燥した土やコンクリートを使うと、よりらしくなる。

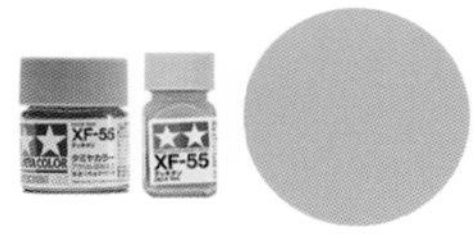

アクリル塗料ミニ／エナメル塗料
XF-55 デッキタン
●タミヤ

Mr.ウェザリングカラー
ホワイトダスト＋マルチホワイト
●GSIクレオス

Mr.ウェザリングペースト
マッドホワイト
●GSIクレオス

ファレホピグメント
グリーンアース
●ファレホ

ネイチャーエフェクト
ライトダスト
●アモ・バイ・ミグヒメネス

ヘビーマッド
ドライ ライト ソイル
●アモ・バイ・ミグヒメネス

アクリルマッド
乾燥した土
●アモ・バイ・ミグヒメネス

ピグメント
コンクリート
●アモ・バイ・ミグヒメネス

イタリア、カッシーノ。1944年モンテ・カッシーノの戦いで破壊されたイタリア、ラツィオ州にある街、カッシーノの周辺で撮影されたとされるM4。モンテ(山)での戦いと呼ばれることがわかるように険しい岩肌を持つ山岳地帯での戦いだった。
Photo by　SMU Central University Libraries

石だらけのチュニジアの砂漠。ここで行動するOD色の米軍車両は目立つが、汚れ映えする。足周りにハードなキズを演出すると雰囲気が増す。
Photo by Leemon

ミグ氏のダナは、ドイツのアフリカ軍団、初期に見られたジャーマングレーベースの迷彩が映える。

2011年10月に撮影されたエジプト北部にある都市エル・アラメインの近郊。第二次世界大戦ではエル・アラメインの戦いで前線となった地域だ。軍港でもあったこの街は非常に重要な戦略拠点で後にこの戦いでのドイツ軍の敗北は第二次世界大戦での転換点の一つとなったとされている。
Photo by Aldino Bondesan

カセリーヌ

●北アフリカといえば砂漠を連想する。それ自体は間違いではないが、いわゆるサハラ砂漠はずっと内陸で、地中海に面するエリアの砂漠の大半は、岩場も激しく露出した礫砂漠となる。カセリーヌ峠はまさにそんな場所だが、地中海の恵みで降雨もあり、低い灌木や草原が点在するのが特徴。礫砂漠のなかに季節感を盛り込むのはチャレンジだ。

カセリーヌ／トリポリ
Kasserine/Tripoli

ロンメル率いるドイツ軍によるカセリーヌ峠の戦いの舞台。赤みのある土色は意外にもタミヤアクリルのフラットフレッシュが適している。レンガダストやニューラストといったピグメントの併用もオススメだ。

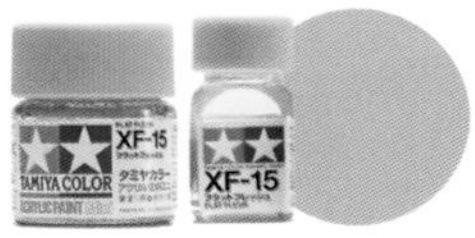

アクリル塗料ミニ／エナメル塗料
XF-15 フラットフレッシュ
●タミヤ

Mr.ウェザリングカラー
ホワイトダスト＋ステインブラウン
●GSIクレオス

Mr.ウェザリングペースト
マッドイエロー＋マッドレッド
●GSIクレオス

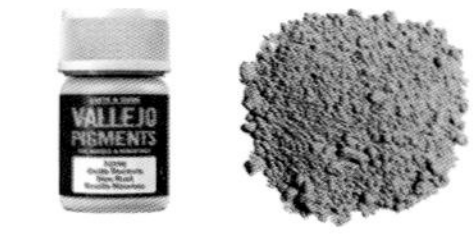

ファレホピグメント
ニューラスト
●ファレホ

ネイチャーエフェクト／ウォッシュ
北アフリカのダスト＋ライトラスト
●アモ・バイ・ミグヒメネス

スプラッシュ／ウォッシュ
ドライ ステップ＋ライトラスト(錆
●アモ・バイ・ミグヒメネス

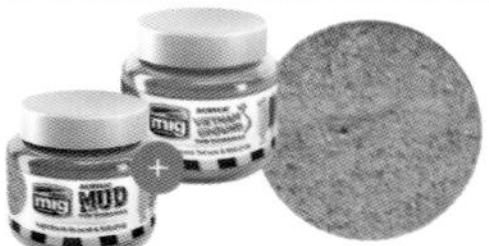

アクリルマッド
明るい色の地面＋ベトナムグラウンド
●アモ・バイ・ミグヒメネス

ピグメント
レンガダスト
●アモ・バイ・ミグヒメネス

アフリカ戦線

●第二次世界大戦の転換点となったエル・アラメインの戦いは、チュニジアの砂が飛ばされてできたエジプトの広大な砂漠だ。第二次エル・アラメイン会戦が行われた10月23日から11月3日はエジプト観光で言えばベストシーズンだそう。ただ容赦なく照りつける太陽や何処にでも入り込む砂粒、夜にはセーターやジャケットが必要なほど冷え込む気候は過酷そのものといえる。砂の色はトブルクも同様に黄色みの強い色をしていて、初期のアフリカ軍団の車両に施された、ゲルブブラウンやグラウグリュンはかなり目立ったのではないだろうか。

エル・アラメイン／
トブルク
El Alamein/Tobruk

エル・アラメインの戦いで有名なこの地では、わずかな沿岸部をのぞきいまも広大な砂漠が広がっている。チュニジアに比べやや黄色みのほうが強い色で、WCの混色や、アモの北アフリカのダストが使いやすい。

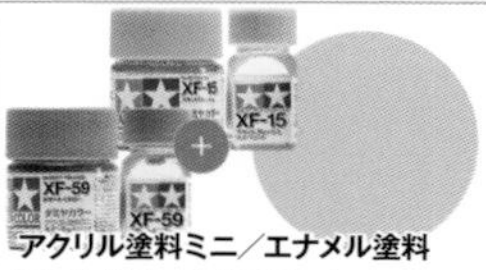

アクリル塗料ミニ／エナメル塗料
XF-59 デザートイエロー＋
XF-15 フラットフレッシュ
●タミヤ

Mr.ウェザリングカラー
ホワイトダスト＋ステインブラウン
●GSIクレオス

Mr.ウェザリングペースト
マッドイエロー＋マッドレッド
●GSIクレオス

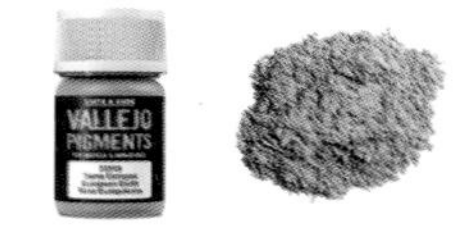

ファレホピグメント
ヨーロピアンアース
●ファレホ

ネイチャーエフェクト／ウォッシュ
北アフリカのダスト＋ライトラスト
●アモ・バイ・ミグヒメネス

スプラッシュ／ウォッシュ
ドライ ステップ＋ライトラスト(錆)
●アモ・バイ・ミグヒメネス

アクリルマッド
明るい色の地面＋ベトナムグラウンド
●アモ・バイ・ミグヒメネス

ピグメント
瓦礫
●アモ・バイ・ミグヒメネス

2010年5月に撮られたリビアの地中海岸部ある2つの都市デルナとトブロクをつなぐ水のパイプライン。トブロクも北アフリカでの戦いで包囲戦が行われた都市。当時この戦線で使用された車両や航空機を見ると、この画像で見られるような砂漠に点々と生える草木を模した黒い帯や斑点が迷彩として描かれている。
Photo by Maher A. A. Abdussalam

リビアの砂漠は画像から見て取れるように、石も多く車両が通過した跡がはっきりと轍状になって浮き上がっている。砂と石色の違いに注目したい。

ドイツ軍北アフリカ軍団を指揮したロンメル将軍。双眼鏡で監視しつつ寄りかかっているのは地面にも見られるゴツゴツとした石でできた壁。岩石砂漠の状態がよくわかる。
Photo by Ruffneck88

山城雅也氏のアフリカ戦線での整備シーン。アフリカ戦線のダイオラマを製作する際はスアクセサリーの多用が効果的。

エジプト西方で破棄されているイギリス軍のCMPトラック。きめ細やかな砂で、車両の残骸には風の影響か、ほとんど表面に砂が残っていない。情景などでこのエリアの再現をする場合にウェザリングの参考になるポイントだ。

Photo by: Cloud-Mine-Amsterdam

ユーゴスラビア紛争

●多民族国家といわれたユーゴスラビア連邦があったこの地は、民族と同様に土の色もさまざまだ。同じ地域でも写真が違うと地面の色が違うことがあったり、作戦行動中の車両も地面と違う色の汚れが付いていたりすることも。土の色は大雑把に紹介するが目安よりも感覚で見てほしい。

シド
Sid

いまはセルビアとなったシドの街はクロアチアとの境界線に位置する。比較的肥沃な土壌はやや黒っぽい色がよく見られ、タミヤアクリルのミディアムグレイや、WCのグレイ系などが適している。

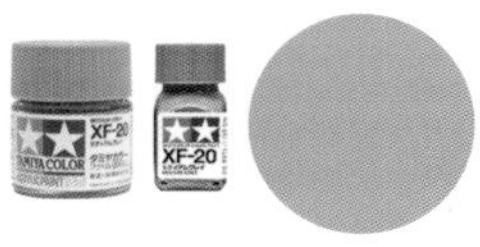

アクリル塗料ミニ／エナメル塗料
XF-20 ミディアムグレイ
●タミヤ

Mr.ウェザリングカラー
ライトグレイッシュ＋マルチグレー
●GSIクレオス

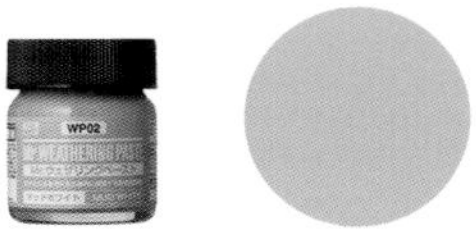

Mr.ウェザリングペースト
マッドホワイト
●GSIクレオス

ファレホピグメント
グリーンアース
●ファレホ

ネイチャーエフェクト
ライトダスト
●アモ・バイ・ミグヒメネス

ヘビーマッド
ドライ ライト ソイル
●アモ・バイ・ミグヒメネス

アクリルマッド
掘り起こされた地面
●アモ・バイ・ミグヒメネス

ピグメント
コンクリート
●アモ・バイ・ミグヒメネス

ベオグラード
Beograd

シドよりさらに内陸に入ったベオグラードではやや赤みの混じった土色へと移り変わる。乾いた土はWCのライトグレイッシュやアモのアース、湿った土ではアモのモイストグランドなどを使うといい。

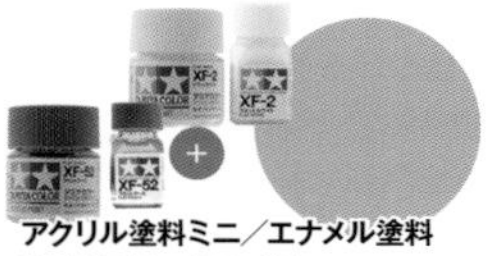

アクリル塗料ミニ／エナメル塗料
XF-52 フラットアース＋
XF-2 フラットホワイト
●タミヤ

Mr.ウェザリングカラー
グレイッシュブラウン＋マルチホワイト
●GSIクレオス

Mr.ウェザリングペースト
マッドホワイト＋マッドイエロー
●GSIクレオス

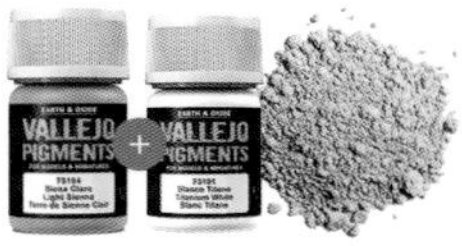

ファレホピグメント
ライトシェンナ＋チタニウムホワイト
●ファレホ

ネイチャーエフェクト
アース
●アモ・バイ・ミグヒメネス

ヘビーマッド
モイスト グランド
●アモ・バイ・ミグヒメネス

アクリルマッド
明るい色の地面
●アモ・バイ・ミグヒメネス

ピグメント
シナイダスト
●アモ・バイ・ミグヒメネス

プラスキット氏製作のバルカン半島のT-55。パテで盛られた立体的な泥と質感が見どころ。

まるで大戦中のカラー写真を思わせる景色だが、撮影は1996年。ユーゴスラビア紛争で使われたセルビア人勢力のT-34-85が路肩に放棄されている。砲塔後部にM2機関銃架も確認できる。地面は明るい茶系で、轍や凹みに雪解け水でか、水たまりができている。
Photo by SPC Glenn W. Suggs

セルビアの首都ベオグラードで整地中の公園。中央のコンクリートらしい部分は入口の川となるようだが、周りの整地が進んでいる部分はこの地域の土の色として参考となるだろう。
Photo by Gmihail at Serbian Wikipedia

サラエボ
Sarajevo

サラエボは周囲を森林と山々に取り囲まれた温暖な土地。土はさらに黄色が強く、より明るい色味が見られる。WPのマッドホワイトにマッドイエロー、さらに少量のマッドレッドを加えてもいいだろう。

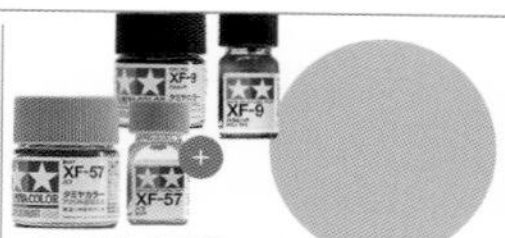

アクリル塗料ミニ／エナメル塗料
XF-57 バフ＋
XF-9 ハルレッド
●タミヤ

Mr.ウェザリングカラー
ホワイトダスト＋ステインブラウン
●GSIクレオス

Mr.ウェザリングペースト
マッドホワイト＋マッドイエロー
●GSIクレオス

ファレホピグメント
ライトイエローオーカー
●ファレホ

ネイチャーエフェクト
北アフリカのダスト
●アモ・バイ・ミグヒメネス

ヘビーマッド
ドライ ステップ
●アモ・バイ・ミグヒメネス

アクリルマッド
乾燥地帯の地面
●アモ・バイ・ミグヒメネス

ピグメント
滑走路ダスト
●アモ・バイ・ミグヒメネス

フェリザイ
Ferizaj

コソボ紛争で有名なバルカン半島南部のフェリザイ(ウロシェヴァツ)。赤みのある黒っぽい土色が目立つ地域だ。WCやWPの混色で乾いた色を、湿った色はアモのモイストグランドで再現しよう。

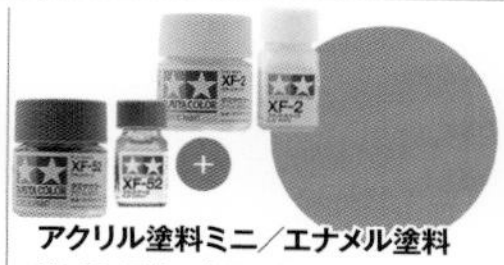

アクリル塗料ミニ／エナメル塗料
XF-52 フラットアース＋
XF-2 フラットホワイト
●タミヤ

Mr.ウェザリングカラー
グレイッシュブラウン＋マルチホワイト
●GSIクレオス

Mr.ウェザリングペースト
マッドホワイト＋マッドレッド
●GSIクレオス

ファレホピグメント
ライトシェンナ
●ファレホ

ネイチャーエフェクト
北アフリカのダスト
●アモ・バイ・ミグヒメネス

ヘビーマッド
モイスト グランド
●アモ・バイ・ミグヒメネス

アクリルマッド
乾燥した土
●アモ・バイ・ミグヒメネス

ピグメント
滑走路ダスト
●アモ・バイ・ミグヒメネス

クロアチア

●地中海性気候に属しながらもバルカン半島基部は河川にも恵まれて山々も近く、どこか日本の農村風景を思わせる。とくに内陸部には日本にもちょっとないほどの美しい渓谷や山岳リゾートが広がり、信州のそれに近いかも知れない。このクロアチアの土地をAFVにからめて表現するなら、地色よりも「草」の豊かさのほうに力点が置かれるべきだ。

地面が濡れているため、赤みのある灰色だが、乾くともっと白みが強まる。どことなく日本の地面に似た印象なので、湿乾のイメージは付けやすそうだ。
Photo by Cloud-Mine-Amsterdam

1991年クロアチア紛争中に起こったバラックの戦いで破壊されたユーゴスラビア人民軍のT-55。車体自体には泥汚れなどは目立たないが、転輪には乾いた土がうっすら被る。
Photo by Kos93

1991年11月撮影。クロアチア共和国の都市ヴコヴァルで廃棄されたユーゴスラビア軍のT-72(M-84)。クロアチア紛争時にこの街も主戦場の一つとなり87日間にわたってユーゴスラビア人民軍の攻撃を受け続けた。
Photo by Peter Denton

ザグレブ
Zagreb

クロアチアの首都ザグレブは国内でも内陸に位置し、比較的湿潤な土地柄である。ファレホのライトシェンナやアモのモイストグランドのような黒っぽい色を使い、この湿り気のある土を再現するといいだろう。

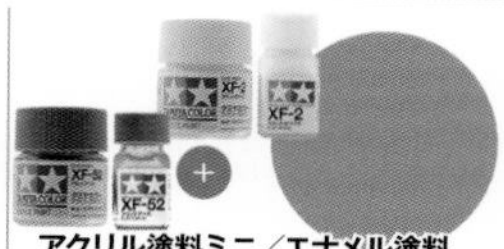

アクリル塗料ミニ／エナメル塗料
XF-52 フラットアース＋
XF-2 フラットホワイト
●タミヤ

Mr.ウェザリングカラー
グレイッシュブラウン＋マルチホワイト
●GSIクレオス

Mr.ウェザリングペースト
マッドホワイト＋マッドレッド
●GSIクレオス

ファレホピグメント
ライトシェンナ
●ファレホ

ネイチャーエフェクト／ウォッシュ
ライトダスト＋トラックウォッシュ
●アモ・バイ・ミグヒメネス

ヘビーマッド
モイスト グランド
●アモ・バイ・ミグヒメネス

アクリルマッド
明るい色の地面
●アモ・バイ・ミグヒメネス

ピグメント
滑走路ダスト
●アモ・バイ・ミグヒメネス

泥表現Tips 03

DAMP SOIL SPOT

調色で高めるリアリティ

British M3 Lee

1942 North Africa

ウェザリング塗料のカラーバリエーションは選びきれないほどあるが、それでも再現したい地域にピッタリの色味がラインナップされていないことがある。そこで、既存の色味を掛け合わせてる調色という方法がある。調色ができるとさまざまな色味に対応することができるほか、微妙な色味の差も自在に変化させることができる。

アフリカ戦線で奮闘したイギリス軍M3 LEE。ミニアート製のキットを使用した作例で、製作は八部将嘉。アフリカの土の色味を忠実に再現する調色の過程や、Mr.ウェザリングカラーの使用法を中心に解説する。

1 タミヤアクリル塗料を水で希釈して基本塗装を行なった。この後のチッピング工程のために、下地塗装の上にヘアスプレーを吹いている。

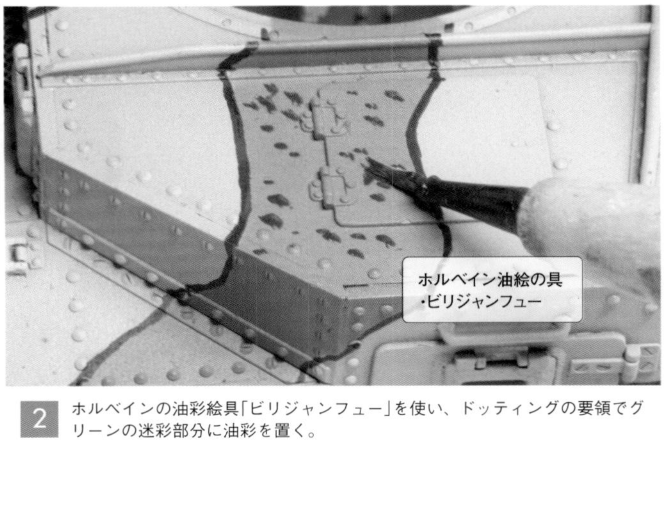

2 ホルベインの油彩絵具「ビリジャンフュー」を使い、ドッティングの要領でグリーンの迷彩部分に油彩を置く。

褪色表現やチッピングで表情豊かな下地に

埃汚れを施す前でも、塗装で情報量を増やす方法はたくさんある。ここでは迷彩塗装のほかに、褪色表現やチッピングを行なって表情豊かな下地を作る。埃のレイヤーがかかっても、この工程は仕上がりにしっかり残るはずだ。

1 ムラが残るように筆でぼかしてゆく。こうすることで塗装に深みが生まれ、後の工程での埃のウェザリングも映える。

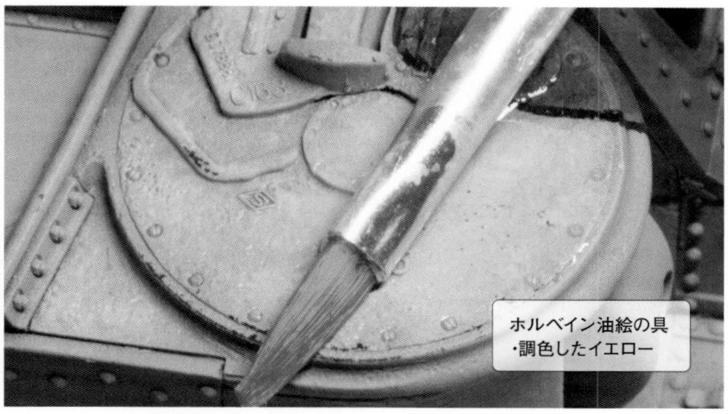

2 イエローの迷彩部分にも明るく調色した油彩絵具を乗せてぼかし、グリーンの迷彩部分と同様に表情を付け、深みを出していく。この工程はあくまで塗装の延長の作業なので、初めに塗装した迷彩がうっすらと見えるように。また、後に施すウェザリングの事も考えながら置くポイントを選ぶと効果的だ。

3 下地にヘアスプレーを塗装しておいたので、水を含ませた筆で剥がす箇所を湿らせて、少しずつチッピングを行なってゆく。

4 穂先を切ったナイロン筆などやケガキ針などを使い、細部までていねいにキズを付けてリアリティを出す。

あっさり仕上げの埃汚しでも映える、やつれた下地

塗装、チッピングの工程が終了した状態とそれ以前の状態を見比べてみると、単純な工程でも見栄えにかなり差が出ていることが分かるだろう。ウェザリングの前にチッピングやフィルタリングなどをしっかり施しておくことで、全体的に白っちゃけてしまいやすい砂漠車両の作品により深みを与えることができる。

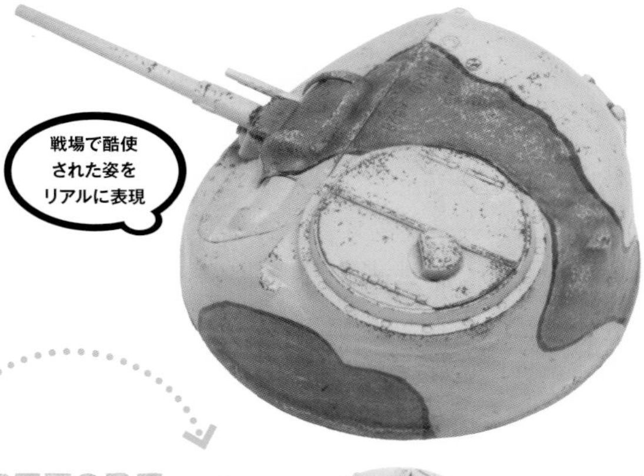

Mr.ウェザリングカラーで埃汚れを追加する

調色したMr.ウェザリングカラーで埃汚れを再現する。平面や垂直面、凹凸など、場所によって塗りかたや表現を変えることで、同じマテリアルでも変化に富んだ表情になる。細かな筆運びや塗料の濃さにも注目。

1 新色のホワイトダストにラストオレンジを混ぜるだけで北アフリカの赤黄色い砂埃が再現できる。本書のカラーチャートや現地写真を参考に、ホワイトダストに少しずつラストオレンジを混ぜて調色してゆく。

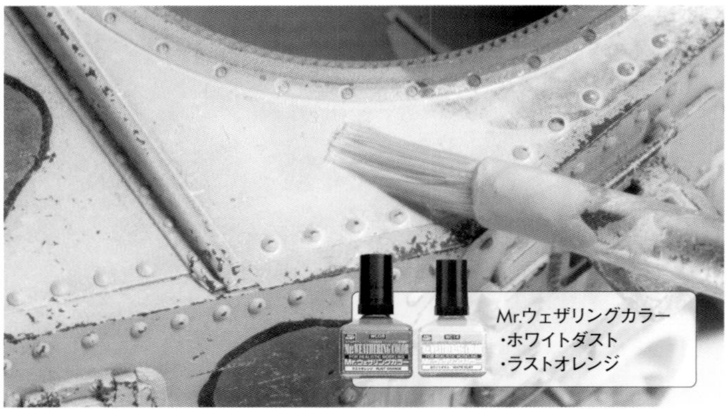

2 北アフリカの砂の色に調色したウェザリングカラーを専用溶剤で希釈し、まずは全体に塗り付けていく。写真の部分は平面なので全体にまんべんなく塗り付けているが、垂直に立っている装甲板などは下半分を中心に塗っていくと、迷彩とのコントラストが生まれ、白ちゃけた印象になるのを防いでくれる。

3 ウェザリングカラーを塗った状態で数十秒〜数分放置し、ある程度乾燥してきたところでウェザリングカラーをほんの少し含ませた筆でぼかしていく。平面は叩くように、垂直面は下へ流すように筆を動かす。筆に溶剤を含ませすぎていると塗料が全て流れてしまうので、ほんのり湿らせるくらいで良い。

4 全体にある程度埃を載せることができたら、次は埃が溜まりそうな箇所に濃い目に調整したウェザリングカラーを置き、車両に積もった埃汚れを表現していく。前工程では太めの筆を使用してざっくりと進めたが、この工程ではより細部へ塗料を乗せていくので、面相筆を使用して少しずつ作業を進めた。

5 埃は隅に溜まりやすいので、各ディテールの隅や溝などを中心にウェザリングを施してゆく。

6 ボカすときは縦筋を描くように塗料を残し、重力によって垂れていく埃汚れを表現。凸部は塗料を綿棒で落とすなどして、ウェザリングのメリハリを付けた。

7 埃表現のウェザリングにはMr.ウェザリングカラー新色のホワイトダストと既製品のラストオレンジを混色したものを使用して、全体に塗っていく。履帯の一部にもクロームシルバーを塗装し、ワンポイントアクセントとした。

8 垂直に立った装甲板を覆った埃を表現していく。面相筆で縦筋を描くようにウェザリングカラーを塗り、数分ほど乾燥させる。この時描く縦筋はある程度細く、ランダム性を持たせた方が見栄えが良いので、より細かい表現が出来る細めの筆を使用することをおすすめする。

9 ウェザリングカラーがある程度乾いたら、うすめ液をほんのりと湿らせた筆で余分な塗料をふき取りつつぼかしていく。この時筆を動かす方向は、特別な表現をしない限りは重力方向を意識する。こうすることで、舞い上がって車体に付着した埃が重力によってしたに垂れていく様子をうまく表現できる。

10 給油口から垂れていくオイル汚れをウェザリングカラーグランドブラウンを面相筆で描くように塗って表現。どうしても明るいウェザリングが多くなってしまう砂漠の車両にとって、暗いオイルの汚れはとてもいいアクセントになってくれる。少々誇張気味にしてしまっても見栄えがよいだろう。

11 グランドブラウンで表現したオイル汚れを数日かけて乾燥させ、その上に少し希釈したウェザリングペースト ウェットクリアーを塗り、光沢を持たせていく。この時、全体が均一な光沢にならないように注意する。箇所によって強弱を付けたりランダム性を持たせたりすると、よりリアルな仕上がりになる。

12 調色した埃色のウェザリングだけでは少し寂しく感じたので、ウェザリングカラーホワイトダストでドッティングを行ない、ウェザリングの情報量を増やしていく。ただ、それまでのフィルタリングやウェザリングを消してしまわないように、この工程はほんの少し付け足す程度に留めておく。

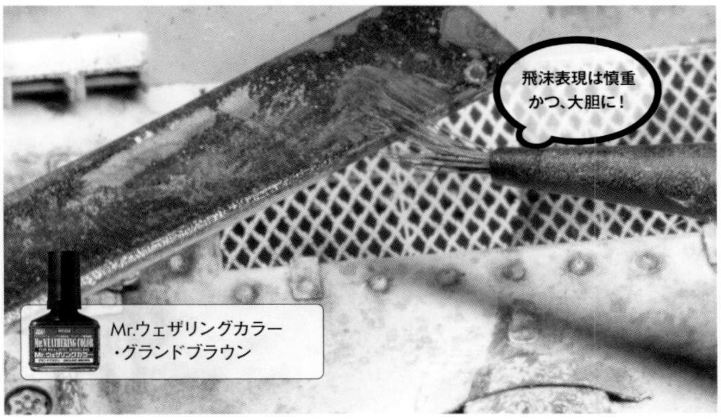

13 整備中に飛び散ったオイル汚れをグランドブラウンで表現していく。筆に塗料を含ませて調色スティックで優しく弾き、飛沫を載せる。塗料の濃度は初めは薄めで、段々り濃くしていくとオイルの汚れにも深みが出せる。飛び散った飛沫の上に筆で塗料を乗せ、オイル汚れを広げてみても面白い。

14 作品全体の雰囲気が少しぼんやりしたように感じたので、影になる部分にグランドブラウンのピンウォッシュを行なう。この表現は模型的見栄えを重視していて、やり過ぎるとリアリティを損ねてしまう。どの部分に施すと見栄えがいいか、全体のバランスはどうかなどを見ながら、慎重に進める。

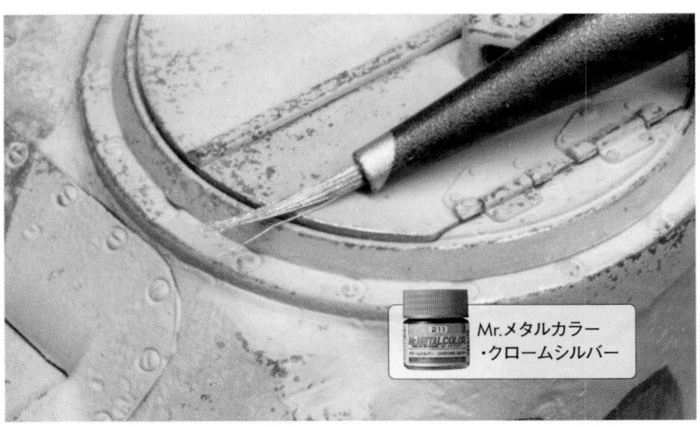

15 最後の仕上げとして、Mr.メタルカラーのクロームシルバーでドライブラシを行ない、金属の摩耗表現を行う。ぎらついた金属の質感を再現するのはとても見栄えがよく、塗っていてとても楽しい。しかし、塗り過ぎると一気にリアリティを損ねかねないので、見えるか見えないかくらいに留めておく。

泥表現Tips 03
DAMP SOIL SPOT

アフリカの砂の色はAFV模型に一見ミスマッチに感じような、明るいオレンジやピンク系の色をしている。Mr.ウェザリングカラー以外でも明るい埃系の色に、錆用のウェザリング塗料を少量混ぜることで再現することができる。

砂漠の車両の作品を作る上で一番難しいのは、いかに塗装とウェザリングを区別するかということだ。独特な環境に溶け込むために車両の塗装はイエロー系が中心で、砂のウェザリングは非常に目立ちにくい。そこで今回の作品では砂埃のウェザリング以外にも様々な要素を加え、たとえ埃をあまり乗せていなくても十分見栄えのする仕上がりを目指した。モデラーの頭を常に悩ませるウェザリングだが、様々な視点を持ち、頭を柔らかくして様々な表現を試してみると、結果的に成長に繋がっていくだろう。

British M3 Lee

North Africa 1942

土の小噺❸

植物と土

by藤井一至

土壌に影響する気候、時間、地質、地形、生物の条件の中でも、植生と土壌は気候と連動して変化している。かつては気候で植物が決まり、それによって土壌も決まると考えられていた。もっともシンプルな関係は寒帯・ツンドラ－永久凍土、冷温帯・針葉樹林－ポドゾル、暖温帯・落葉広葉樹－若手土壌（褐色森林土）、ステップ気候・草原－チェルノーゼム、サバンナ気候－粘土集積土壌、砂漠気候－砂漠土、熱帯雨林気候－オキシソル、強風化赤黄色土というものだ。これらは気候帯を反映して分布する成帯性土壌と呼ばれる（**図6**）。現在では、気候、時間、地質、地形、生物の5因子が複雑に関与しあって土の分布が決まると考えられている。たとえば、冷温帯・針葉樹林－ポドゾル地帯に当てはまる北海道に多いのはポドゾルではなく火山灰土壌（黒ボク土）である（**図7**）。それでも、気候と植生と土のあいだには密接な繋がりがあり、その知識は現地に近い景観を推定する強力な武器になるはずなのである。

北欧のポドゾルの上には、タイガと呼ばれる針葉樹林が広がっている。ヨーロッパアカマツあるいはドイツトウヒといった針葉樹が主体となる。北米は黒トウヒ、より乾燥するシベリアの永久凍土地帯は落葉性のカラマツが主体である。林床には落葉（針葉）だけでなく、コケ植物と地衣類が繁茂し、特に地衣類はトナカイのエサとなる。フィンランドとロシア国境付近の衛星写真では、国境をはさんでフィンランド側は緑色、ロシア側は白色に見える。トナカイが地衣類を食べつくすフィンランドではコケ植物の緑が卓越し、ロシア側はトナカイが狩猟しつくされ、地衣類の白さが卓越するためだといわれている。ちなみに主要産業は林業である。

砂漠気候では有刺灌木（サボテン）や耐塩性植物の点在する砂漠土、ツンドラ地帯で永久凍土が分布するのは、氷河期に氷河で覆われなかった大陸性気候のシベリア、アラスカ一帯であり、氷河の被覆によって凍結をまぬかれた湿潤な北欧、北米東海岸に永久凍土は分布しない。ステップ気候下では草原の根が腐植の供給源となり、チェルノーゼムを育む。温帯ヨーロッパではブナあるいはナラ類の落葉広葉樹林が粘土質で腐植にも富む若手土壌（褐色森林土）と対応している。

アフリカ、南米の熱帯雨林はアカシア、ネムノキなどのマメ科植物が多く、それほど樹高は高くならない。落葉層はうすく、チガヤなどのイネ科植物の下層植生が生い茂る。コーヒーノキ、カカオ、バナナなどの有用植物も混在する。やや乾燥したサバナ気候下ではバオバブなど灌木の点在する草原地帯であり、主に粘土集積土壌が分布する。焼畑地ではキャッサバやトウモロコシの栽培が盛んである。

東南アジアの熱帯雨林はフタバガキ科の樹木やドリアンなどの高木が多く、樹高は60メートルにもなる。樹冠によって光をさえぎられる東南アジアの熱帯雨林には下層植生が少なく、地面はうすい落葉層が敷き詰められている。それでも光の差し込む林内には、ショウガ、バナナ、ヤムイモ、タロイモなどの下層植生が見られるのである。熱帯雨林の切り拓かれた場所はチガヤの草原地帯が、焼畑地であれば陸稲が広がっている。明瞭な乾季を持つ熱帯季節林（モンスーン）のタイ、ミャンマー、ラオス、ベトナムではやや土が赤くなり、やや涼しい山岳部の植生は日本の暖温帯林（シイ・カシ林）と類似のブナ科のマテバシイ、チャノキ、ツバキなどが見られる。やはり樹冠が閉じるために下層植生が乏しいのが特徴である。

日本、ニュージーランド、インドネシアジャワ島、フィリピンのような火山地帯に多い火山灰土壌（黒ボク土）、インドやエチオピアの玄武岩台地に多いひび割れ粘土質土壌、湿地帯に多い泥炭土のように気候以外の要因が強く関わる土も存在している。火山灰土壌、ひび割れ粘土質土壌では雑穀の栽培が盛んだ。泥炭土は寒冷地であればミズゴケが多く、温帯湿地林ではハンノキ、熱帯湿地林ではフタバガキが多くみられる。

植民地支配の目的の一つが熱帯植物の確保であったため、植物園を通して世界各地に導入され、外来種化したものも多い。そのため、植物の分布域はあいまいになっている。この点は土との違いである。■

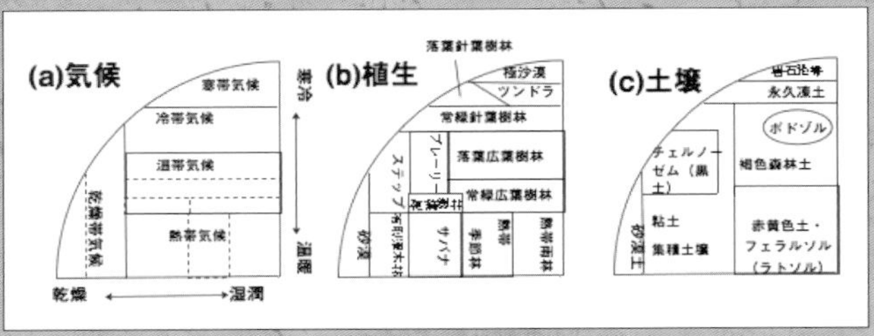

図6　気候と植生と土壌の対応関係。

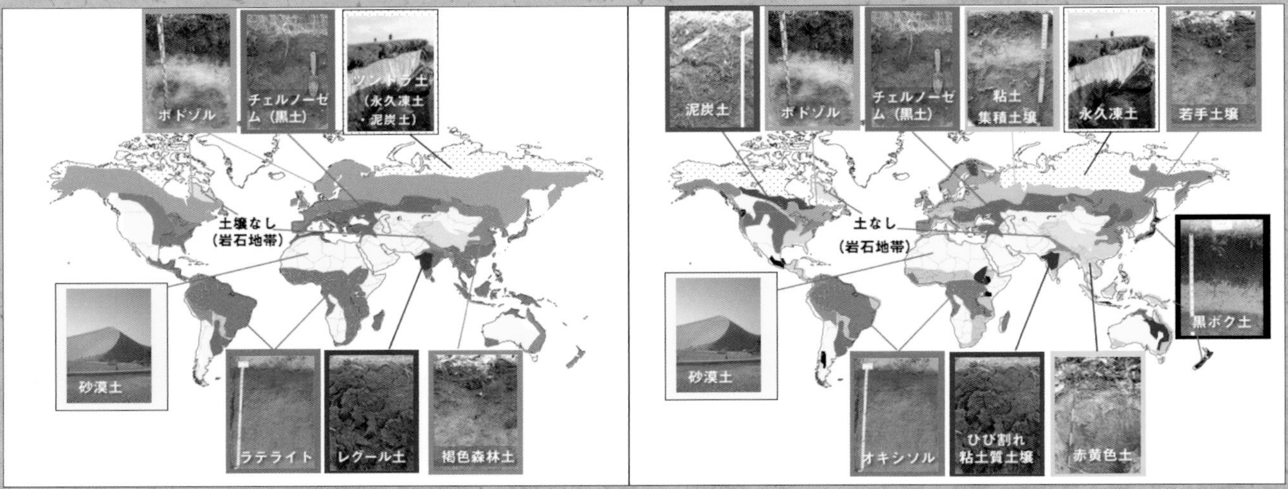

図7　（**左**）古い高校地理の教科書　（**右**）藤井改訂版

THEME.04
アジア・太平洋
Asia Pacific

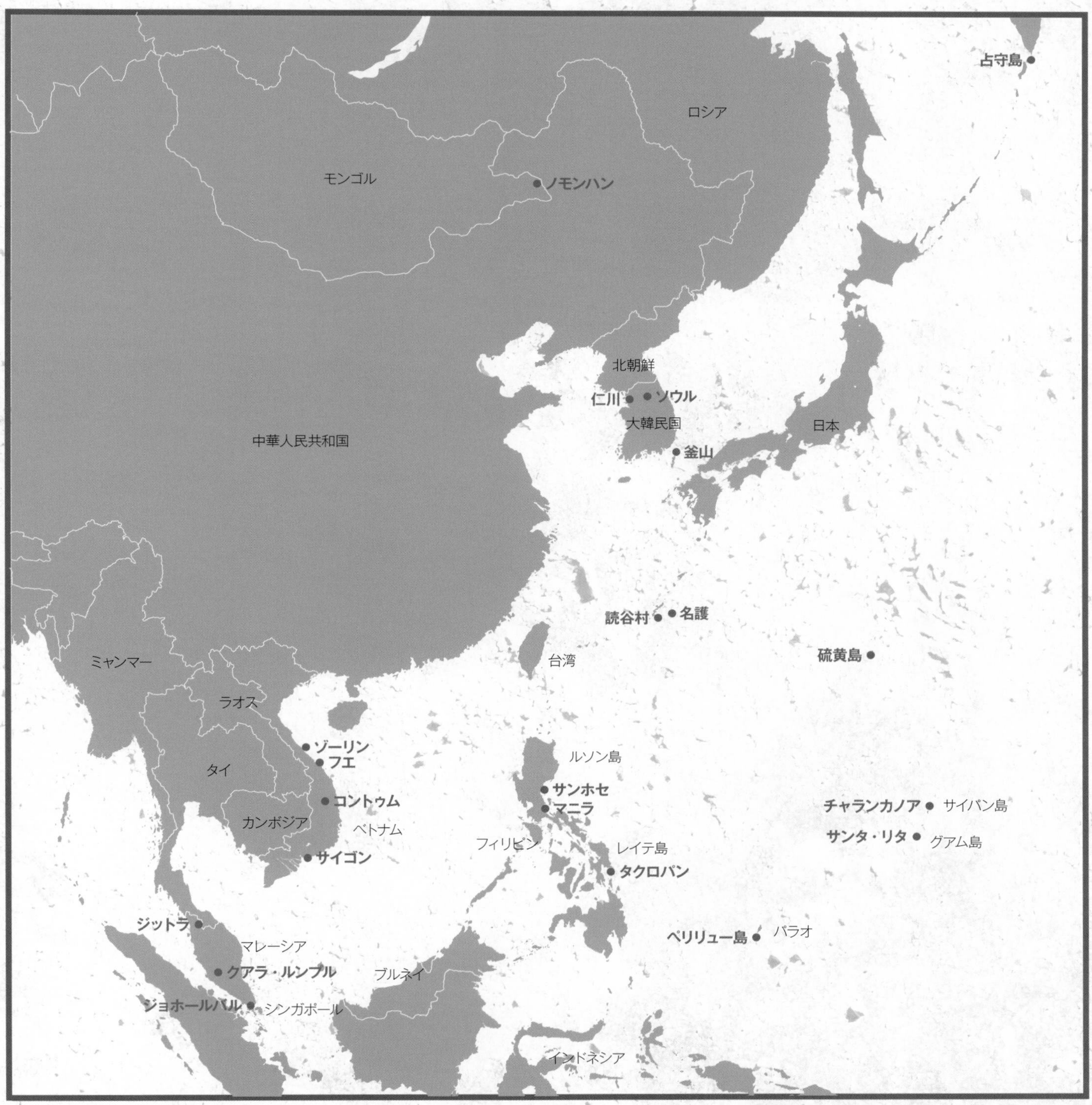

Asia Pacific

アジア・太平洋

もっともつかみ所がなく、それでいて個性を出しやすい土地。アジアを制する者が模型を制す。

日本軍の戦場だけを見ても、砂漠を除くすべてが存在したといっても過言ではない。それがアジア。しかし多様な文明文化と複雑な国境線が反映しているように、その土地毎の個性がはっきりしているので、大外しはないだろう。

硫黄島でかつて米軍が上陸地点として選んだ地点から砂を採集する海兵隊員。1945年に一か月間にわたって激しい戦闘が行なわれた。後方には頂上に掲げられる星条旗の写真で有名な摺鉢山が見える。
Photo by Lance Cpl. Jordan Talley

硫黄島

●70年以上前の戦場とほとんど姿を変えていないのが硫黄島だ。だからネットで豊富に手に入る現状の硫黄島の風景や、足下の土壌の感覚はそのまま模型に再現することが許される。ただ、天然の水場がほとんど存在しないこの乾ききった極限の地の苦しさをどのように切り取り、その空気感を表現するか、なにより腕前が問われる戦場だ。

硫黄島1
Iwo Jima 1

大戦末期の日本軍とアメリカ軍との戦いの舞台になった硫黄島。乾燥した土でも黒っぽい灰色であり、WCのマッドホワイトにマッドブラウンを混色し、さらに湿らせた土であればウェットクリアーも加える。

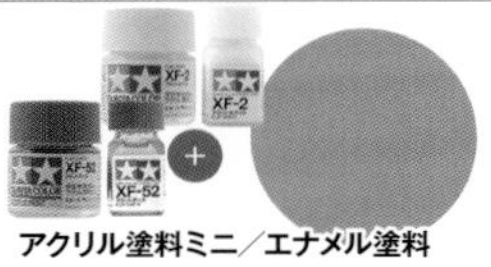

アクリル塗料ミニ／エナメル塗料
XF-52 フラットアース＋
XF-2 フラットホワイト
●タミヤ

Mr.ウェザリングカラー
グレイッシュブラウン＋
マルチブラック ●GSIクレオス

Mr.ウェザリングペースト
マッドホワイト＋マッドブラウン
●GSIクレオス

ファレホピグメント
ナチュラルアンバー＋カーボンブラック
●ファレホ

ネイチャーエフェクト／ウォッシュ
ライトダスト＋ブラックウォッシュ
●アモ・バイ・ミグヒメネス

ヘビーマッド
ドライ ライト ソイル
●アモ・バイ・ミグヒメネス

アクリルマッド
乾燥した土
●アモ・バイ・ミグヒメネス

ピグメント
ウィンターソイル
●アモ・バイ・ミグヒメネス

硫黄島2
Iwo Jima 2

黒っぽいイメージのある硫黄島だが、山間部や内陸ではこうした黄色みの強い土色も見ることができる。WCのオーカーイエローやWPの混色、ファレホのライトイエローオーカーとライトシェンナの混色も使いやすい。

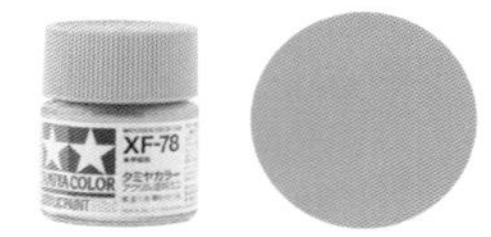

アクリル塗料ミニ／エナメル塗料
XF-78 木甲板色
●タミヤ

Mr.ウェザリングカラー
オーカーイエロー＋マルチホワイト
●GSIクレオス

Mr.ウェザリングペースト
マッドホワイト＋マッドイエロー
●GSIクレオス

ファレホピグメント
ライトイエローオーカー＋ライトシェンナ
●ファレホ

ネイチャーエフェクト
北アフリカのダスト
●アモ・バイ・ミグヒメネス

スプラッシュ
ドライ ステップ
●アモ・バイ・ミグヒメネス

アクリルマッド
乾燥地帯の地面
●アモ・バイ・ミグヒメネス

ピグメント
北アフリカダスト＋ネゲヴサンド
●アモ・バイ・ミグヒメネス

ノモンハン事件

●モンゴルの草原地帯で日本とソ連の間で発生したノモンハン事件は、広大な草原が舞台となる。草原の土は栗色土と呼ばれる黄色みのある灰色の土で、乾燥地帯でもあり埃も多い。アモのピグメントでいえば滑走路ダスト。

ノモンハン
Nomonhan

帝国陸軍の九五式軽戦車「ハ号」も活躍したノモンハン事件。モンゴル高原の北東でかなり内陸部に位置する。黄色みのある灰色の土色はアモのライトダスト、土埃はピグメントが活用できる。

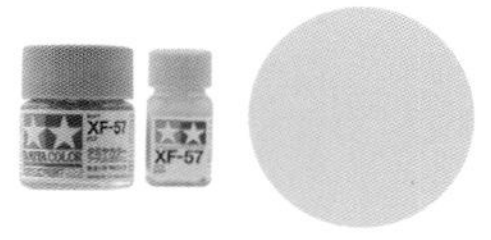

アクリル塗料ミニ／エナメル塗料
XF-57 バフ
●タミヤ

Mr.ウェザリングカラー
サンディウォッシュ＋マルチグレー
●GSIクレオス

Mr.ウェザリングペースト
マッドホワイト
●GSIクレオス

ファレホピグメント
ライトシェンナ＋チタニウムホワイト
●ファレホ

ネイチャーエフェクト
ライトダスト
●アモ・バイ・ミグヒメネス

ヘビーマッド
ドライ ライト ソイル
●アモ・バイ・ミグヒメネス

アクリルマッド
乾燥した土
●アモ・バイ・ミグヒメネス

ピグメント
滑走路ダスト
●アモ・バイ・ミグヒメネス

東・東南アジアの土壌を構成する地質材料はアフリカなどと比較すると、年代の新しさに特徴があります。インド亜大陸がユーラシア大陸に衝突したことで、ヒマラヤ山脈、チベット高原を形成しました。そのヒマラヤから供給される水と土砂が土壌の発達に大きな影響を及ぼしています。とくに東南アジアは大河のもたらした堆積物（第三紀堆積岩）が基岩となり、氷河期に海水面が今よりも数百メートル低下していた時代、マレー半島もインドネシア島嶼もつながった一つの大陸（スンダランド）でした。これが東南アジアの土壌の類似性の要因です。

千島列島から日本列島、済州島（韓国）、フィリピン、スマトラ島、ジャワ島（インドネシア）、ニューギニア島に至るまで環太平洋造山帯に位置し、火山が連なります。火山から噴出するものには溶岩と火山砕屑物（テフラ）があり、テフラには白い軽石、暗色のスコリア（玄武岩質）、火山灰などが含まれます。マグマの組成や噴火口からの距離によって、粒子のサイズや色が変わるのです。火山灰の風化によって黄色～赤色の粘土が生成します。その色は、粘土に含まれる鉄サビ（酸化物）の色に左右されます。湿潤な地域では鉄サビは黄色くなり、乾燥の強い熱帯土壌ほど赤くなります。火山灰由来の粘土には腐植を吸着する高い能力があり、とくにフィリピンのルソン島とレイテ島、ジャワ島（インドネシア）のような高標高地域では草原下に黒い土（黒ボク土）が発達します。腐植の多い土は、サラサラした手触りです。小笠原諸島や硫黄島の海底火山の溶岩は鉄を多く含むため、土は暗赤色土になります。グアム、サイパンも火山島ですが、低標高ではより粘土が風化して、強風化黄褐色土、若手土壌になります。海岸部にはペリリュー島や沖縄の海岸部と同じくサンゴ石灰岩由来の白い砂（未熟土の一種）が分布します。沖縄の堆積岩地帯には赤色の国頭マージ、石灰岩地帯には褐色の島尻マージ、泥岩地帯には灰色のジャーガルが分布します。

一方、中国東北部からモンゴルの草原地帯では砂漠地帯から黄砂が飛来・堆積し、ウクライナと同じくチェルノーゼム（黒土）が発達します。より乾燥の厳しいモンゴルでは腐植の蓄積が少なく栗色土（チェルノーゼムの一種）となります。これは北米プレーリーと同じです。

■藤井一至

朝鮮戦争中1950～1953年、韓国国内で撮影されたM46パットン。アメリカ空軍の前線航空管制官と戦車長が協議中。航空管制ができる標高が高い山岳地帯のようだ。マッドフラップにこびりついた汚れが走行中に巻き上げる埃の多さを物語る。地面の色味がそのまま車両に反映されている

Photo by United States Air Force

吉岡和哉氏製作のM4A3E8。朝鮮戦争の象徴的な虎の顔が描かれ、目が奪われるが足周りの土色にも注目。

朝鮮戦争

●中東を除くアジアに限定するなら、もっとも濃密な戦車戦がおこなわれたのが朝鮮半島。米軍の回顧録を見ると、とにかく水田と急峻な山岳地帯、そして信じられないような寒気に悩まされたことばかり書いてある。また仁川上陸作戦では、遠浅の海が作戦を台無しにするのではと危惧された。戦場は狭くても朝鮮半島の表情は豊かである。

仁川 Incheon

朝鮮戦争において国連軍による上陸作戦が展開された仁川北西部（レッドビーチ）。赤みの強い土はタミヤアクリルのフラットフレッシュや、WPやアモのエナメル系塗料の混色によって再現しよう。

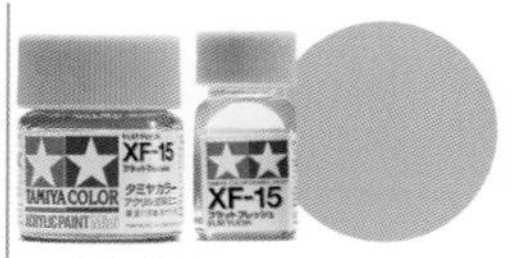 アクリル塗料ミニ／エナメル塗料 XF-15 フラットフレッシュ ●タミヤ	 Mr.ウェザリングカラー ホワイトダスト＋ラストオレンジ ●GSIクレオス	 Mr.ウェザリングペースト マッドイエロー＋マッドレッド ●GSIクレオス	 ファレホピグメント ニューラスト ●ファレホ
 ネイチャーエフェクト／ウォッシュ 北アフリカのダスト＋ライトラスト（錆） ●アモ・バイ・ミグヒメネス	 スプラッシュ／ウォッシュ ドライ ステップ＋ライトラスト（錆） ●アモ・バイ・ミグヒメネス	 アクリルマッド 乾燥した土＋ベトナムグラウンド ●アモ・バイ・ミグヒメネス	 ピグメント レンガダスト ●アモ・バイ・ミグヒメネス

釜山 Busan

半島の反対側で行われた釜山攻防戦においては、多くの米軍車両の活躍が記録されている。土色は仁川とは異なり、黄色みの強い色に。WCのオーカーイエローやアモの北アフリカダストが比較的近い色である。

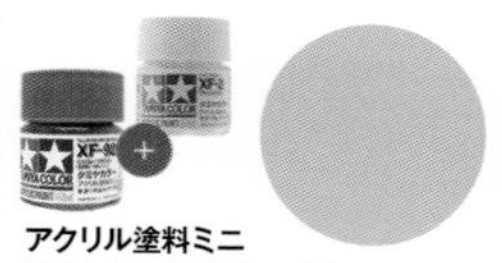 アクリル塗料ミニ XF-88 ダークイエロー2＋ XF-2 フラットホワイト ●タミヤ	 Mr.ウェザリングカラー オーカーイエロー＋マルチホワイト ●GSIクレオス	 Mr.ウェザリングペースト マッドホワイト＋マッドイエロー ●GSIクレオス	 ファレホピグメント ライトイエローオーカー＋ライトシェンナ ●ファレホ
 ネイチャーエフェクト 北アフリカのダスト ●アモ・バイ・ミグヒメネス	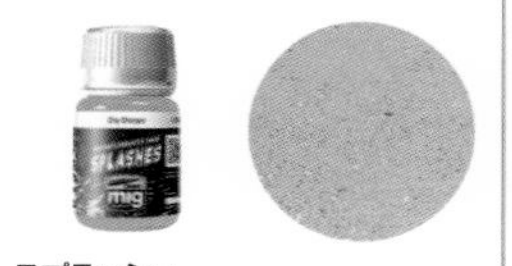 スプラッシュ ドライ ステップ ●アモ・バイ・ミグヒメネス	 アクリルマッド 乾燥地帯の地面 ●アモ・バイ・ミグヒメネス	 ピグメント 北アフリカダスト＋ネゲヴサンド ●アモ・バイ・ミグヒメネス

川瀬貴之氏製作のグアムでのM4シャーマンのダイオラマ。意外に赤みのある現地の土の色を的確に再現している。

太平洋戦争で激戦地となったタラワ島。砲塔陣地などが海岸に残っている。火山灰で形成された島々とは違ったこまかい砂が広がるビーチだ。

フィリピンの戦い

●黒土のジャングル、火山灰地の叢林地帯、そしてアメリカ資本をたっぷり吸った大農園。フィリピンの顔は島毎に大きく違う。だから全土が戦場になったフィリピンに「土地の表情」という制約は少ない。その分、日本軍が破竹の勢いであった昭和17年か、それともレイテを追われ、絶望をさまよう末期戦の戦場か、その表情が問われるだろう。

マニラ
Manila

日本軍と連合軍のマニラの戦いでは、太平洋戦争最大規模の市街戦も行なわれた。黄色みを帯びた灰色の土は、WCのホワイトダスト+ステインブラウンをごく少量混色や、アモの北アフリカのダストなどが適している。

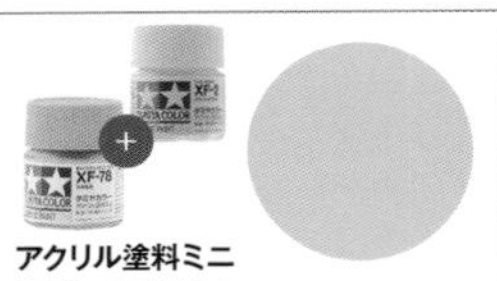

アクリル塗料ミニ
XF-78 木甲板色+
XF-2 フラットホワイト
●タミヤ

Mr.ウェザリングカラー
ホワイトダスト+ステインブラウン
●GSIクレオス

Mr.ウェザリングペースト
マッドホワイト+マッドイエロー
●GSIクレオス

ファレホピグメント
デザートダスト
●ファレホ

ネイチャーエフェクト
北アフリカのダスト
●アモ・バイ・ミグヒメネス

マッド
シック ソイル
●アモ・バイ・ミグヒメネス

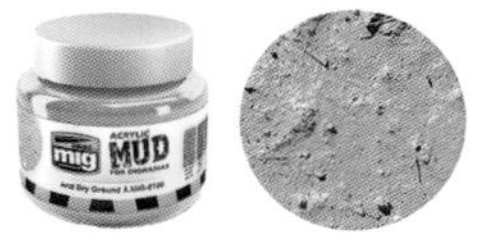

アクリルマッド
乾燥地帯の地面
●アモ・バイ・ミグヒメネス

ピグメント
サンド
●アモ・バイ・ミグヒメネス

サンホセ
San Jose

マニラよりさらに南に位置するパナイ島のサンホセ。マニラと印象の違う、赤みの強い土色だ。WCのホワイトダストに少量のグレーズレッドを混色、またはファレホのヨーロピアンアースがオススメ。

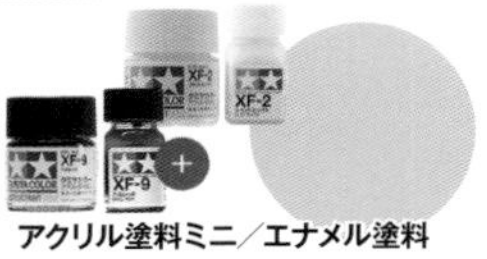

アクリル塗料ミニ／エナメル塗料
XF-52 フラットアース+
XF-2 フラットホワイト
●タミヤ

Mr.ウェザリングカラー
ホワイトダスト+グレーズレッド
●GSIクレオス

Mr.ウェザリングペースト
マッドホワイト+マッドレッド
●GSIクレオス

ファレホピグメント
ヨーロピアンアース
●ファレホ

ネイチャーエフェクト／ウォッシュ
ライトダスト+トラックウォッシュ
●アモ・バイ・ミグヒメネス

ヘビーマッド
モイスト グランド
●アモ・バイ・ミグヒメネス

アクリルマッド
暗い泥の地面
●アモ・バイ・ミグヒメネス

ピグメント
滑走路ダスト+ホワイト
●アモ・バイ・ミグヒメネス

タクロバン
Tacloban

レイテ島の北東部にある港湾都市タクロバンは、多数のアメリカ軍がこの港より上陸を行なった場所だ。黄色の強い土色はタミヤアクリルの木甲板色や、アモのシック ソイルなどで再現しよう。

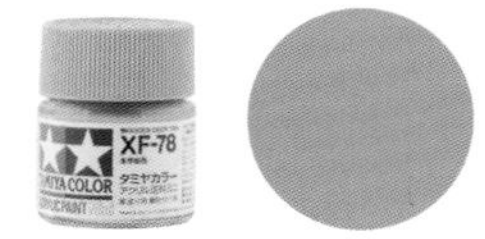

アクリル塗料ミニ／エナメル塗料
XF-78　木甲板色
●タミヤ

Mr.ウェザリングカラー
オーカーイエロー+マルチホワイト
●GSIクレオス

Mr.ウェザリングペースト
マッドホワイト+マッドイエロー
●GSIクレオス

ファレホピグメント
ライトイエローオーカー+ライトシェンナ
●ファレホ

ネイチャーエフェクト
ノースアフリカダスト
●アモ・バイ・ミグヒメネス

ヘビーマッド
シック ソイル
●アモ・バイ・ミグヒメネス

アクリルマッド
乾燥地帯の地面
●アモ・バイ・ミグヒメネス

ピグメント
北アフリカダスト+ネゲヴサンド
●アモ・バイ・ミグヒメネス

ペリリュー島

●パラオ環礁の南端に位置するペリリュー島は、海抜が低く森林の土壌は黄褐色や褐色になる。ただ低地になるとグアム、サイパン、沖縄と同様にサンゴの白い砂が分布する。これをピグメントで表現するなら、アモミグのライトダスト。Mr.ウェザリングペーストならマッドホワイトが適している。ただどちらも単調で見栄えがあっさりとしやすいので、濃淡をつけた演出をした方がよいだろう。

ペリリュー島
Peleliu

太平洋戦争においてペリリューの戦いが繰り広げられた島で、いまも遺構が残っている。わずかに黄色みのある灰色の土のため、アモのライトダストやWPのマッドホワイトなど、彩度のあまり高くない塗料を選ぼう。

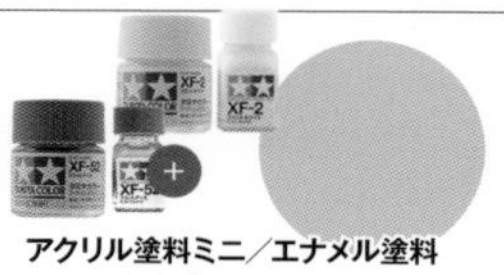

アクリル塗料ミニ／エナメル塗料
XF-52 フラットアース＋
XF-2 フラットホワイト
●タミヤ

Mr.ウェザリングカラー
ホワイトダスト＋マルチグレー
●GSIクレオス

Mr.ウェザリングペースト
マッドホワイト
●GSIクレオス

ファレホピグメント
ライトシェンナ＋チタニウムホワイト
●ファレホ

ネイチャーエフェクト
ライトダスト
●アモ・バイ・ミグヒメネス

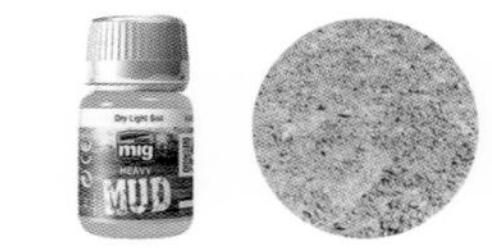

ヘビーマッド
ドライ ライト ソイル
●アモ・バイ・ミグヒメネス

アクリルマッド
乾燥した土
●アモ・バイ・ミグヒメネス

ピグメント
ライトダスト
●アモ・バイ・ミグヒメネス

グアム/サイパン島

●グアム、サイパンの土もアモミグのベトナムアースが適している。東南アジアの熱帯土壌は腐植が少なく、色は鮮やかな黄色をしていて、アフリカや南米よりも鉄が少なく、排水性の悪い粘土質の土壌が多い傾向にある。

グアム・サイパン島1
Guam Saipan 1

いまは観光地として有名な島だが、太平洋戦争時には激戦の舞台となった島々。むき出しの粘土質の赤土も見られるグアムなら、タミヤアクリルの混色やアモのエナメル系塗料にサビ表現用の塗料を混色するといいだろう。

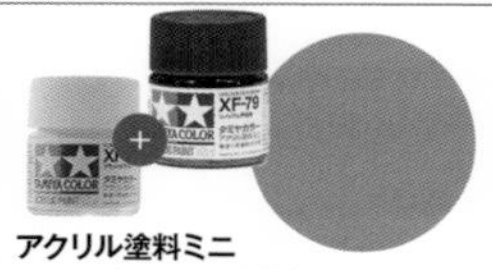

アクリル塗料ミニ
XF-79 リノリウム甲板色＋
XF-2 フラットホワイト
●タミヤ

Mr.ウェザリングカラー
グレイッシュブラウン＋ラストオレンジ
●GSIクレオス

Mr.ウェザリングペースト
マッドレッド
●GSIクレオス

ファレホピグメント
オールドラスト
●ファレホ

ネイチャーエフェクト／ウォッシュ
北アフリカのダスト＋ライトラスト（錆）
●アモ・バイ・ミグヒメネス

ヘビーマッド／ウォッシュ
モイスト グランド＋ライトラスト（錆）
●アモ・バイ・ミグヒメネス

アクリルマッド
ベトナムアース
●アモ・バイ・ミグヒメネス

ピグメント
ベトナムアース
●アモ・バイ・ミグヒメネス

グアム・サイパン島2
Guam Saipan 2

サイパンではどちらかといえばこちらの色味の土がよく見られる。グアムでも市街地や沿岸部はこの色の土が多い。タミヤアクリルのバフに少量のフラットホワイトを混色すると再現しやすい。

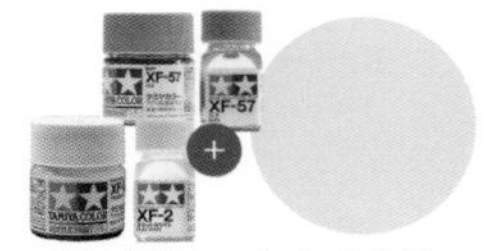

アクリル塗料ミニ／エナメル塗料
XF-57 バフ＋XF-2 フラットホワイト
●タミヤ

Mr.ウェザリングカラー
サンディウォッシュ＋マルチグレー
●GSIクレオス

Mr.ウェザリングペースト
マッドホワイト
●GSIクレオス

ファレホピグメント
ライトシェンナ＋チタニウムホワイト
●ファレホ

ネイチャーエフェクト
ライトダスト
●アモ・バイ・ミグヒメネス

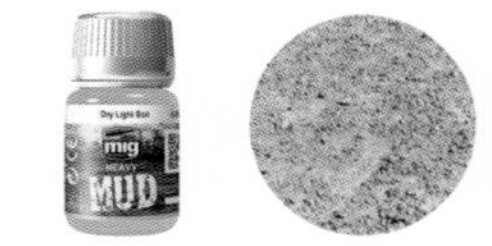

ヘビーマッド
ドライ ライト ソイル
●アモ・バイ・ミグヒメネス

アクリルマッド
乾燥した土
●アモ・バイ・ミグヒメネス

ピグメント
コンクリート
●アモ・バイ・ミグヒメネス

沖縄戦

●沖縄の土壌は東南アジアで見られる赤黄色の土で覆われている。この土を表現するには、アモのベトナムアースがよいだろう。ただ海抜が低いところは、サンゴ石灰岩由来の白い砂なので、場所により変化をつけたい。

読谷村
Yomitan
名護
Nago

大戦末期の連合軍による上陸作戦が展開された沖縄。粘土質の土壌は赤みが強く鮮やかな色合いだ。ファレホのオールドラストや、粘り気も表現するのであればペースト系を使用するといい。

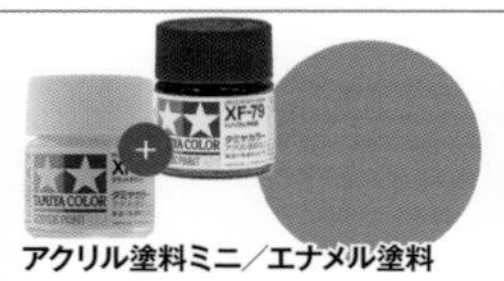

アクリル塗料ミニ／エナメル塗料
XF-79 リノリウム甲板色＋
XF-2 フラットホワイト
●タミヤ

Mr.ウェザリングカラー
グレイッシュブラウン＋ラストオレンジ
●GSIクレオス

Mr.ウェザリングペースト
マッドレッド
●GSIクレオス

ファレホピグメント
オールドラスト
●ファレホ

ネイチャーエフェクト／ウォッシュ
北アフリカのダスト+ウォッシュ ライトラスト（錆）
●アモ・バイ・ミグヒメネス

ヘビーマッド／ウォッシュ
モイスト グランド＋ライトラスト（錆）
●アモ・バイ・ミグヒメネス

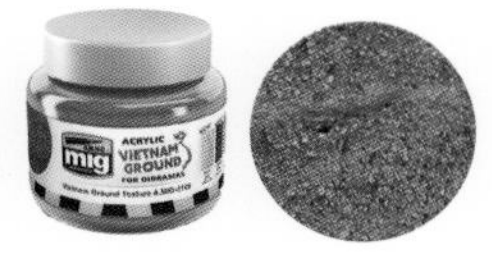

アクリルマッド
ベトナムアース
●アモ・バイ・ミグヒメネス

ピグメント
ベトナムアース
●アモ・バイ・ミグヒメネス

ベトナム戦争でも運用されていたM728は平井真氏の作品。足周りやドーザーに溜まった土がいかにもベトナムらしい。

Photo from the Robert L. Drieslein Collection (COLL/5643) at the Archives Branch, Marine Corps History Division

1968年1月撮影。ベトナムの土が履帯と車体各所にこびり付いているM42ダスター。車体前面にも乾いた泥が付着していることから高速で移動した車両なのだろう。車体後部や側面は車両番号が確認できるほどきれいな状態。起動輪と転輪の汚れ具合の違いにも注目したいポイントだ。

ベトナム戦争

●「ランボー」的な湿潤なジャングルも、「ワンス・アンド・フォーエバー」的な乾燥した山岳地帯も、「フォレスト・ガンプ」の田園地帯もすべてベトナムの真の顔。この国の表情を決めるのは、あまりにも対照的な雨季と乾季の切り替わりだ。米軍のハイテク兵器さえあざ笑う暴力的な気象条件をどう捕まえるのか、そこがおもしろいのだ。

サイゴン1
Saigon 1

ベトナム戦争は記録写真もカラーのものが多く存在し、それらで見られる土の色は赤いものが多い。アモのベトナムアースは、アクリルマッド、ピグメントともにこの再現に最適の塗料となる。

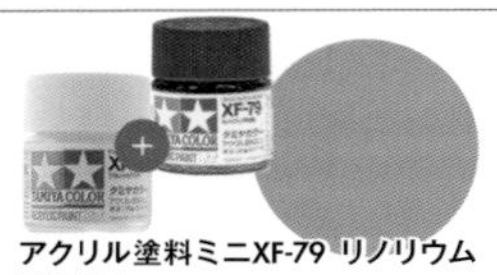

アクリル塗料ミニXF-79 リノリウム甲板色+
XF-2 フラットホワイト
●タミヤ

Mr.ウェザリングカラー
グレイッシュブラウン+ラストオレンジ
●GSIクレオス

Mr.ウェザリングペースト
マッドレッド
●GSIクレオス

ファレホピグメント
オールドラスト
●ファレホ

ネイチャーエフェクト／ウォッシュ
北アフリカのダスト+ライトラスト（錆）
●アモ・バイ・ミグヒメネス

ヘビーマッド／ウォッシュ
モイスト グランド+ライトラスト（錆）
●アモ・バイ・ミグヒメネス

アクリルマッド
ベトナムアース
●アモ・バイ・ミグヒメネス

ピグメント
ベトナムアース
●アモ・バイ・ミグヒメネス

サイゴン2
Saigon 2

同じく記録写真などで見られる明るめの土色。オリーブドラブの車体色にもよく映える色だ。タミヤアクリルのフラットフレッシュや、WCやアモのアクリルマッドの混色など、調色も楽しめる土色だ。

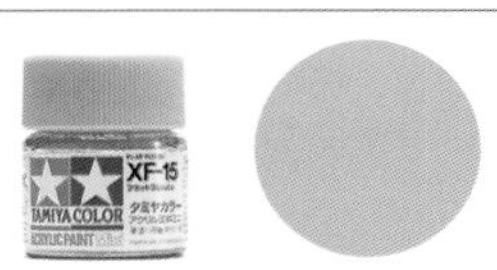

アクリル塗料ミニ／エナメル塗料
XF-15 フラットフレッシュ
●タミヤ

Mr.ウェザリングカラー
ホワイトダスト+ラストオレンジ
●GSIクレオス

Mr.ウェザリングペースト
マッドイエロー+マッドレッド
●GSIクレオス

ファレホピグメント
ニューラスト
●ファレホ

ネイチャーエフェクト／ウォッシュ
北アフリカのダスト+ライトラスト（錆）
●アモ・バイ・ミグヒメネス

スプラッシュ／ウォッシュ
ドライ ステップ+ライトラスト
●アモ・バイ・ミグヒメネス

アクリルマッド
乾燥地帯の地面／ベトナムグラウンド
●アモ・バイ・ミグヒメネス

ピグメント
レンガダスト
●アモ・バイ・ミグヒメネス

1970年6月、カンボジアからベトナムに入る際に警備ポイントを通過する第11機甲騎連隊所属のM551シェリダン。赤味の強い泥が車両後部に付着していることが遠目にもわかる。
Photo by NARA photo 111-CCV-596-CC70438 by SP4 Truman J. Skiffington

ゾーリン
Gio Linh
フエ
Hue
コントゥム
Kon Tum

サイゴンと同じく熾烈な戦いが繰り広げられたフエ。サイゴンとは大きく位置は異なるが、土の色は似ている。もちろんアモのベトナムアースは最適だが、タミヤアクリルやWCの混色でもこれを再現可能だ。

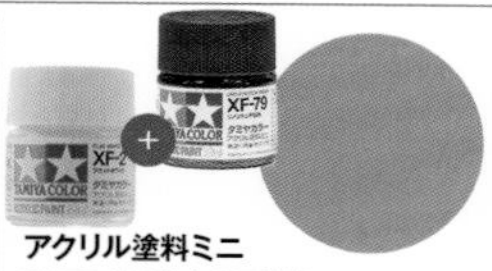

アクリル塗料ミニ
XF-79 リノリウム甲板色＋
XF-2 フラットホワイト
●タミヤ

Mr.ウェザリングカラー
グレイッシュブラウン＋ラストオレンジ
●GSIクレオス

Mr.ウェザリングペースト
マッドレッド
●GSIクレオス

ファレホピグメント
オールドラスト
●ファレホ

ネイチャーエフェクト／ウォッシュ
北アフリカのダスト＋ライトラスト（錆）
●アモ・バイ・ミグヒメネス

ヘビーマッド／ウォッシュ
モイスト グランド＋ライトラスト（錆）
●アモ・バイ・ミグヒメネス

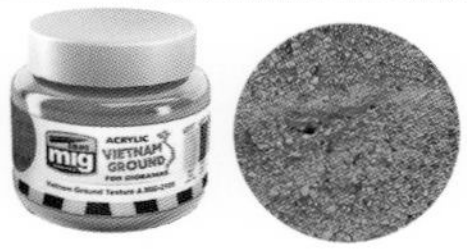

アクリルマッド
ベトナムアース
●アモ・バイ・ミグヒメネス

ピグメント
ベトナムアース
●アモ・バイ・ミグヒメネス

1971年2月、ベトナム、ケサン近くのラオスとの国境付近。第2大隊第94砲兵第24軍団B中隊の隊員がM543A2を使用してM107自走砲の銃身を交換中。地面近くに置かれていたのか、砲身までも赤土で汚れていることがわかる。
Photo by NARA photo 111-CCV-551-CC74782 by SP5 C.D. Turner

1969年2月、南ベトナムのドンナイ省の省都のビエンホア。ケリー火力支援基地内で出動準備中の第3騎兵連隊所属のM113。地面とほぼ同一化するほど埃に汚れた車体。汚れが自然と迷彩効果になっている。

吉岡和哉氏製作のベトナムのダイオラマ。M113やガントラックのグラフィックとともに、土の赤みも鮮やかな作品。

1970年8月9日、ベトナム、タイニン省にあるバーデン山付近の道に沿って移動中の第25歩兵師団のM113。水が張った田園風景がベトナムらしい。車体側面には乾いた土汚れが付着しており、赤い地面とのコントラストがついている。足周りは地面と同じく赤味を持った泥がついている。

Photo by NARA photo 111-CCV-613-CC71331 by SP4 Peter Finnegan

1968年4月、ベトナム中部の都市フエとその西側に位置するアシャウ渓谷の中間地点に設置された火力支援基地バストーニュから護衛任務に出動する第9師団のM113A1装甲車。固く乾燥した土は少し黄色味を帯びている。同年の1月末から2月にかけて北ベトナム人民軍が仕掛けたテト攻勢ではフエでも激しい戦闘が行なわれた。

Photo by NARA photo 111-CCV-590-CC48041 by SP4 Thomas L. Larsen

泥表現Tips 04

DAMP SOIL SPOT

ピグメントを使いこなす

泥や埃の質感を高めるには、本物と同じ粉状のピグメントを使うことがリアルの近道。ただし、ピグメントはほかの塗料と使いかたが少し異なり、コツを要する。ここではそのコツを掘り下げて紹介する。

M42A1 Duster

1968 Vietnam

AFVクラブのM42A1ダスター。多彩なディテールや繊細なパーツに目がいくが、ベトナム戦争で酷使された姿の再現のために、ウェザリングに凝るのもおもしろい題材。そんなダスターを山城雅也氏に解説してもらう。

1 ファレホのピグメントは粒子もこまかく、ラインナップも豊富に展開されているため重宝する。今回は3種類のピグメントを用意し混色を行なった。今回製作したM42A1ダスターは南ベトナムの中部高原、キャンプ・ハロウェイのあるプレイクに配備されていた車両のため、土の色を赤くしすぎないよう注意した。

2 隣り合う色のピグメントを混ぜ合わせ中間色を作り、さらにそこから適宜調整して使用していく。水で溶かして塗布すると、完全にはピグメントが定着しないため調整もしやすい。ピグメントを水溶きするとき中性洗剤を数滴加えると、塗面にピグメント水溶液が弾かれなくなるためオススメだ。

ピグメントで履帯のウェザリングを仕上げる

土埃がいちばん付着するのが足周り。とくに履帯はディテールの凹みに土が溜まりやすく、逆に凸部は土が落とされる。定着後でも拭き取りが行ないやすいピグメントなら、納得行くまで作業が可能で質感も高く仕上がる。

1　あらかじめラバー部分と金属部分を塗り分けた履帯に、前述のピグメント水溶液を塗り込んでいく。水溶液にしてあるため、入り隅や履帯の隙間にもしっかりと流れ込み馴染ませやすい。平筆に大雑把ではなく、面相筆(安価なもので十分)を使いていねいに塗り込んでいくことがポイントだ。

2　水溶液が乾燥し水分がなくなっているのを確認後、豚毛のようなコシの強い筆を使いピグメントを叩いていく。ピグメントが残りすぎている部分や、不自然に固まってしまっている部分の調整を行なっていく。余分な粉が舞いやすいので、マスクなどをつけて吸い込まないように注意をしよう。

3　調整後、固定にアクリル系うすめ液を塗布していく。筆で塗っていくと筆目が残ってしまい、スポイトで垂らしていくとピグメントが流れ出してしまう。今回は筆にうすめ液を取り、スパッタリングの要領で塗布していった。この方法で行なうとうすめ液を均等に塗布しやすく、調整したピグメントの様子も変わらない。

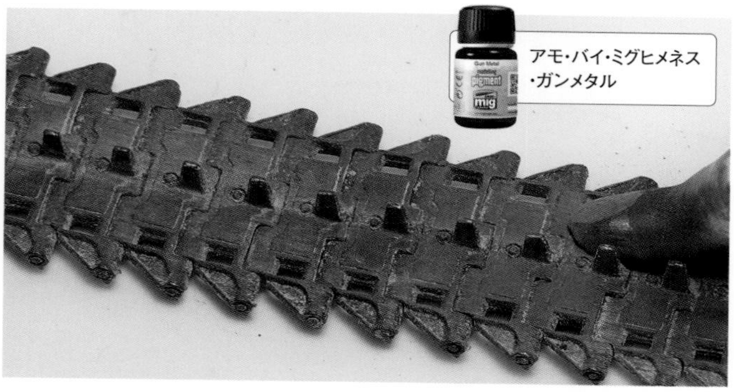

4　同様に転輪側もピグメントを施していく。こちら側は走行中に転輪が埃汚れを落とすため、それを再現しておく。ガイアノーツのフィニッシュマスターにアモのピグメントのガンメタルを付け、転輪があたる場所を擦っていく。これは余分なピグメントを落とすのと、転輪の設置部分の金属感を出す目的だ。

金属製履帯ならではの“磨き”で生まれるリアル

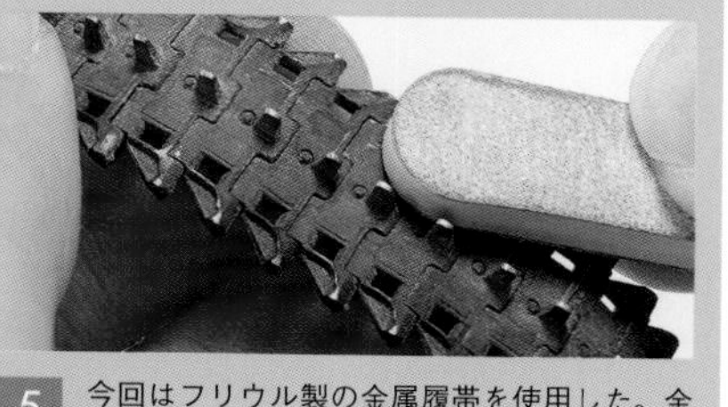

5　今回はフリウル製の金属履帯を使用した。金属履帯を使用するメリットはいろいろあるが、ヤスリなどで塗膜を剥がし金属地を露出させることで、リアルな鉄の質感を演出できる点が大きい。

6　M41ウォーカーブルドックとも共通のT91E3タイプの履帯は、表面にラバーパッドのつく形状になる。パッド部分と金属部分との質感の違いを楽しみながら塗装しよう。車体に装着した際に、足周りへ施した土汚れとの違和感がないよう、慎重に色を選択し塗装することも大事な要素となる。

ピグメントの仕上げを見越した下準備と定着方法

粉状のマテリアルのため、塗る作業だけでは完結しないのがピグメント。少しクセのある使い方を、下準備も含めた段階から解説する。定着では２パターンの方法を経た、仕上がりの差にも注目。

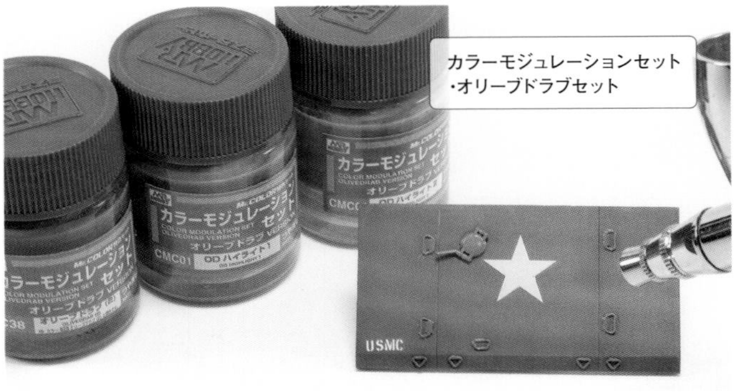

1　車体色のオリーブドラブを、クレオスのカラーモジュレーションセットを使い塗装。埃汚れがたまりそうな部分には、あえて濃い色を残しながら塗装しておくと、ピグメントなどの明るい埃汚れがより見映えする下地となる。

2　Mr.ウェザリングカラーのグランドブラウンでスミ入れを行なう。あとの埃汚れの工程でボケてしまわないように、入り隅やディテールにしっかりと塗料が残るように塗り込む。ハッキリ色が残るように塗料はあまりうすめない。

3　埃の下地を塗装していく前に、ヘアスプレーを吹き付けておく。全体に均等に吹き付けるのではなく、粒の大きな飛沫をまだら模様のように吹き付けるのがコツ。缶は携行用のちいさいものが、圧力や取り回しの都合で使いやすい。

4　タミヤアクリル塗料のフラットフレッシュとフラットアースを、3：1で混色したものを吹き付ける。希釈にはうすめ液と水とを使い、定着力を弱くしておく。あくまで埃汚れの下地なので、塗料はうすく吹き付けるように注意。

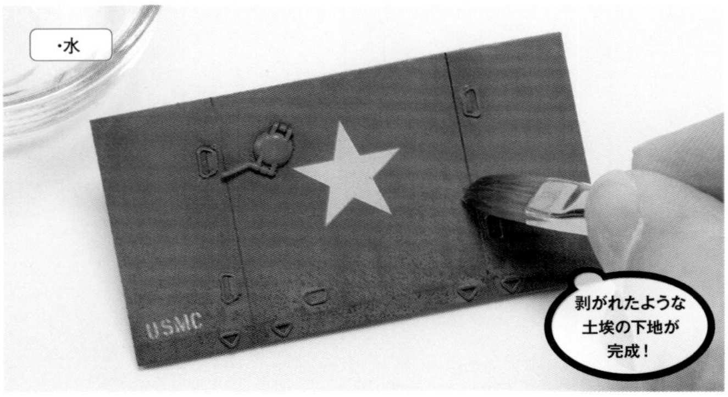

5　水で希釈した塗料とヘアスプレーの効果により、塗膜は剥がれやすくなっている。柔らかめの平筆に水をつけ、やさしく塗膜を撫でながら塗料を剥がす。乾燥後はしっかりツヤ消しになってくれるのもタミヤアクリル塗料の利点だ。

6　タミヤアクリル塗料の塗膜を残した部分中心に、さらにオイルブラッシャーのダストを使って深みを加えていく。下地がツヤ消しになっているため、塗料が馴染みやすい。筆にうすめ液はつけず、乾いた筆で叩くようにぼかしていく。

乾いたピグメントをそのまま擦り付けて定着させる

まずはピグメントの基本的な使いかたを紹介する。粉状のまま、模型に塗布して定着させる方法だ。ピグメントを乾いた状態でのせるので、仕上がりの色やピグメントの量を調節しやすい。

1 調色したピグメントを直接乗せていく。先に塗ったオイルブラッシャーが乾燥する前にその上に乗せていくと、ピグメントが塗面に食いつきやすくなる。乗せたピグメントを、さらにコシの強い筆で叩きながら馴染ませていく。

2 ここでも定着にはアクリル系うすめ液を用いる。筆で叩いて馴染ませ調節したピグメントが流れてしまわないように、スパッタリングでうすめ液を塗布していく。うすめ液を過度に塗布しすぎないよう慎重に作業していく。

3 ピグメントは一色だけではなく、微妙に調色の割合を変えた数種類を塗布していくことで、埃汚れにわずかな変化と深みが出せる。

水溶きピグメントを塗って仕上げる

もうひとつの使用方法はピグメントを水で溶いて、一旦液状の塗料にしてから仕上がりを調整して定着させる方法。ディテールの隙間にもしっかりピグメントが行き渡り、拭き取りも容易なピグメントならではの方法。

1 水溶液にしたピグメントを、埃の下地を塗った部分に塗布していく。オイルブラッシャーの乾燥前だと塗面が水溶液を弾いてしまうため、中性洗剤を数滴加えておくといい。水溶液を塗る際は細い筆でていねいに作業する。

2 水溶液が乾燥したら、コシの強い筆でピグメントを叩いていく。ピグメントはほぼ定着していないため、形状や量感の調整がしやすい。入り隅やディテール部分など、埃が溜まりやすそうな部分を考えながら調節していく。

3 アクリル系うすめ液で定着させていく。複数の色でのピグメントワークを行なっていく場合は、ここまでの工程を終えた後に再度ピグメント水溶液の塗布から繰り返し施していくことが可能だ。

乾きと潤いの共演! ピグメントの下地に効果絶大なオイル汚れの表現

1 給油口のように、オイル汚れを施す部分にあらかじめピグメントを配置しておくと、ピグメントの質感に変化が出てより良いアクセントとなる。

2 アモの燃料による汚れを使い、ピグメントに塗料を染み込ませるようにオイル汚れを施していく。エナメル系塗料のクリア塗料でも代用可能。

3 さらにオイル汚れのレイヤーを重ねていく。塗布の方法に変化をつけ、ここではスパッタリングによってオイルの飛沫を塗り重ねた。

泥表現Tips 04
DAMP SOIL SPOT

M42A1
Vietnam 1968

ダイオラマやヴィネットにしなくとも、ベトナムで運用されていたことを物語れる赤土。もう一歩考証に凝るなら、ベトナムでもさまざまな色味の赤土があるため調色に挑戦してみるといいだろう。

Duster

フィギュアと小物類のアクセサリーはBravo6のレジンキットで、全て油彩で塗装。ヘッドはホーネットのレジン製ヘッドに交換し、行軍時の打ち合わせ最中のワンシーンをイメージして配置している。砲塔後部の薬莢や車体後部に積載するアクセサリー、弾薬箱はAFVクラブのプラスチックキットを使用している。車体後部の荷物ラックはプラ板で製作し、記録写真を参考に、キャンプ・ハロウェイが置かれたベトナムの中部高原の都市、プレイク(Pleiku) に配備された車両を想定している。プレイクはサイゴンに比べ、赤さは控えめな土色。「ベトナムの土は赤土」というイメージの、さらにもう1歩先の考証を目指した。
・雑誌やポスターを車両の各所に配置し、ベトナム戦争最中の米軍車両らしさを演出した。

土の小噺❹

土と戦争

by藤井一至

12種類の土の中で、戦争を経験していない土は存在しない。人口密度の少ない永久凍土ですら、シベリア出兵やアラスカのアリューシャン諸島をめぐる日米の攻防があったのだ。とはいえ、歴史で何度も登場するのは肥沃な土である。肥沃な土を持つ国は、持たざる国の標的となってきたのだった。

ウクライナのチェルノーゼムが、ドイツ、ロシアの標的となったのは過去の話ではない。肥沃な土が局在するのには理由がある。氷河期に氷河によって削られた肥沃な砂（レス）が北欧から失われ、堆積した場所に発達したのが東ヨーロッパのチェルノーゼムなのだ。草原を小麦畑に変えると、「ヨーロッパのパンかご」と呼ばれる穀倉地帯となった。中国の黄土高原もまた、氷河期に砂漠地帯から飛来した黄砂によって肥沃な粘土集積土壌（黄土）となった場所である。その北部の東北部にはウクライナと同じチェルノーゼムが分布し、第二次世界大戦において日本の標的となったのだ。

イギリスに植民地化されたインドのデカン高原は玄武岩台地であり、肥沃なひび割れ粘土質土壌が分布している。シリアとイスラエルが領有権を争うゴラン高原も玄武岩台地だ。チェルノーゼム、粘土集積土壌、ひび割れ粘土質土壌の三つに共通するのは、土が肥沃なことである。団粒構造を持ち、保水性、通気性、排水性に優れている。酸性でもアルカリ性でもない中性なのだ。酸性土壌の多い日本との違いである。現在、この三つの土の広がる陸地面積11パーセントで世界人口の8割、60億人を養う食糧が生産されている（**図8**）。

もう一つ、意外にも戦争が多いのは砂漠土である。メソポタミア文明もエジプト文明も砂漠地帯に大河が水をもたらすことで成立していた。大河のおかげで灌漑農業が可能になった。砂漠土は中性〜アルカリ性で塩分を含む問題があるのだが、灌漑水が充分にあれば塩分を洗い流すことが可能になる。しかし、いったん気候変動（乾燥化）によって水源が乏しくなると、水源や食糧を求めて争いとなってしまう。中東地域で戦争が多くなる自然・農業環境上の理由なのである。イネを除く多くの作物は乾燥地に起源を持ち、酸性土壌が苦手である。このため、乾燥地に広がる中性の土壌を求めて争いが起こるのだ。肥沃な土地の買い占め（ランド・グラブ）は現在も水面下で繰り広げられている。

肥沃ではない土を肥沃に変えることができれば、苦労はない。その手段は、化学肥料や堆肥となる。しかし、リン資源はモロッコ、カリウム肥料はカナダに局在している。窒素肥料の材料だけは大気中に無限にあり、ハーバー・ボッシュ法の発明によって世界人口は三倍となった。しかし、窒素肥料に変えるために必要となるエネルギー（石油、石炭）を膨大に消費してしまう。このため、化学肥料は貧栄養な土のある地域ではなく、国内総生産の高い国で主に消費されている。堆肥は貧栄養な土壌では十分に得られることができない。日本ではコカ・コーラよりも肥料の方が安いが、アフリカでは肥料の需要が高く、ぜいたく品であるコカ・コーラの需要が低くなる。この結果、需要の高い肥料の値段が高くなってしまい、本当に必要な肥料に手が届かないという現象が起こるのだ。これを「コカ・コーラの逆説」と呼ぶ。生まれてきた地域の土を選べないこと、肥料が思うように手に入らないことが肥沃な土を求めて戦争が起こる原因なのだ。

さて、4億年前、初めて上陸したミミズやムカデといった土壌動物は乾燥を恐れ、湿った土の中で暮らすことを選ぶことになった。土の中はデコボコしていて、脚（ミミズの場合は剛毛）の数が多いほうが素早く移動できたためと考えられている。3億年前には平坦な面の多い地上で暮らす脚6本の昆虫が登場し、同時代に脚4本の両生類も上陸する（**図9**）。いずれも、「平面は3点で決まる」という幾何学の原則に基づく重心移動の少ない移動が可能である。私たちの脚は2本だが、土踏まずを持つことでバランスをとっている。原始的な戦争では、そんな二足歩行の人同士のぶつかり合いであった。中世には馬に乗った騎兵が登場し、近代には農場で活躍したキャタピラー式トラクターが戦車として使われるようになった。脚の数を数えると2本⇒4本⇒無数と変化している。デコボコの多い土の上を自在に動けるように脚の数も増加してきたのだ。この歴史が、模型で扱う戦車、戦場における土の重要性を高めているのかもしれない。模型も実社会も土から逃れることができない以上、うまく付き合う術を身に着けたいものだ。■

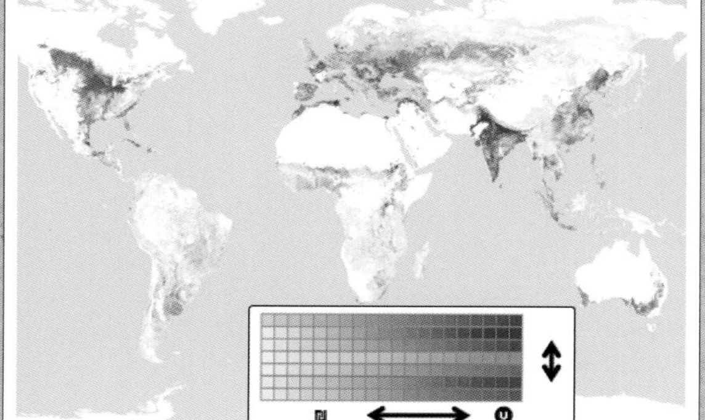

図8　世界の肥沃な畑の土マップ。紫色が濃いほど肥沃な農地がある。

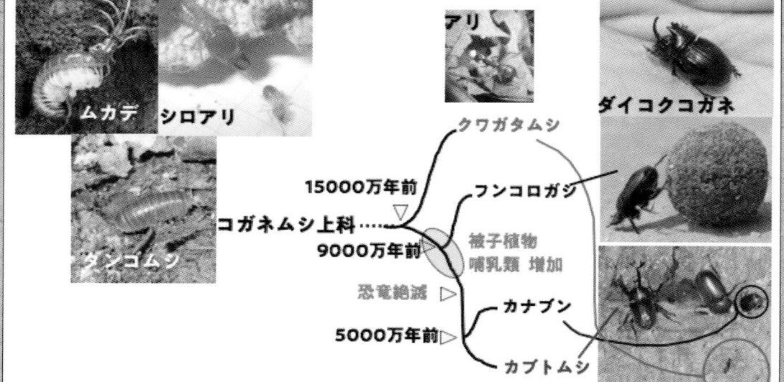

図9　土壌動物や昆虫の進化

THEME.05
中東
Middle East

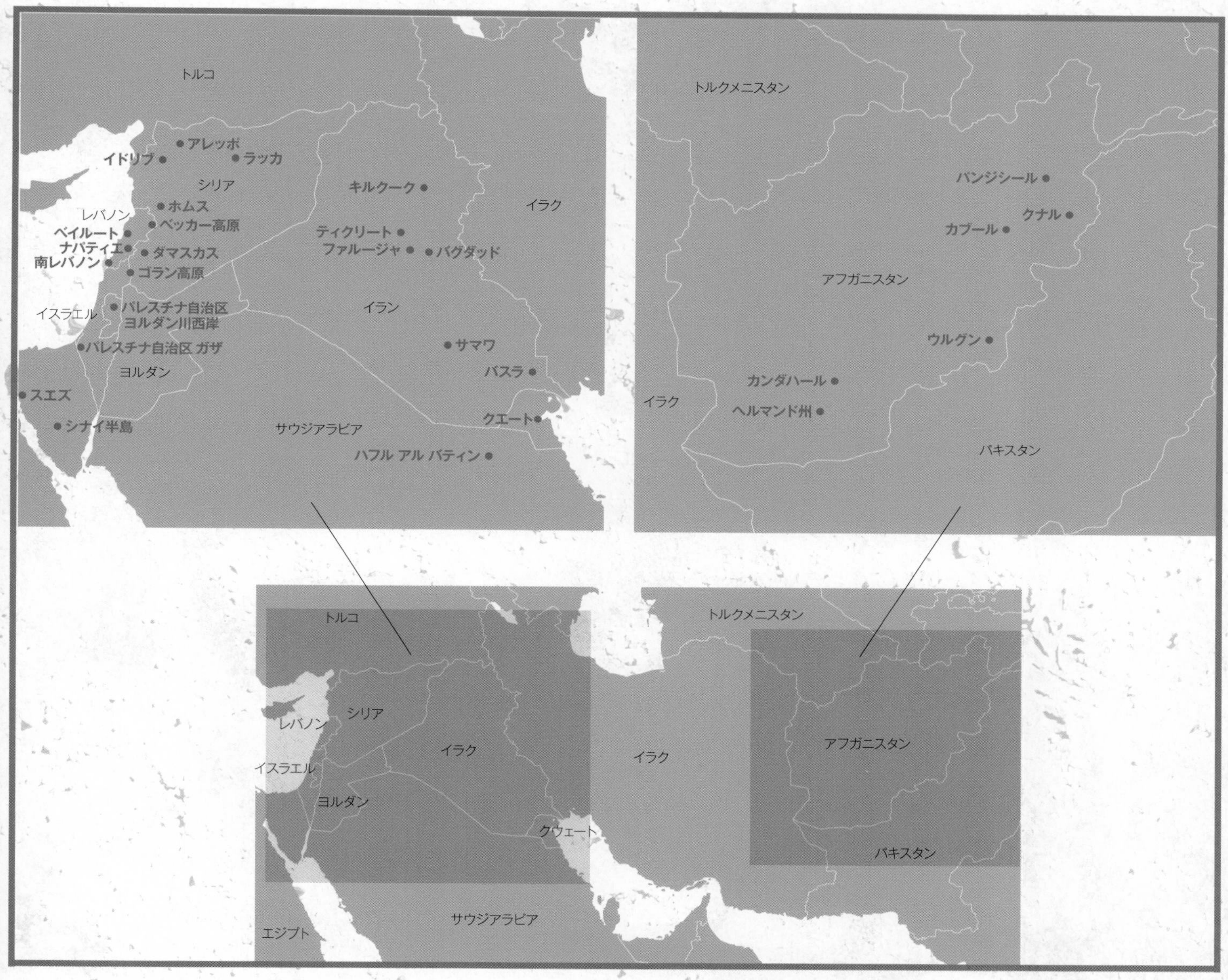

Middle East

中東

文明発祥の地である中東オリエント世界。
この大地を手にする者は、世界の大地すべてをつかむ。

中東イコール砂漠と連想するだけでは、ステレオタイプでつまらない。だが中東と砂漠を切り離した表現が鑑賞者の心をとらえるとも思えない。砂漠を表に出しすぎず、フィギュアや装備品で中東を連想させる味付けが求められる。

イラクとサウジアラビアの国境付近で待機中のエジプト軍のM60。エジプト軍が構築したであろう二重の対戦車障害物が延々と続く。砂と岩が混ざったかたちで丘のようになっている黄白色の地面がわかる。乾燥した砂は埃のように車体平面を覆っている。

ミグ・ヒメネス氏の69式戦車。サンド色の車体でも、グリーンの帯やオイルの滲みで砂埃の存在感を際立たせた作品。

　一見すると乾いた不毛な砂漠土には、古代農耕文明を生み出した肥沃な大地としての顔もあります。そもそも砂漠といっても、岩石砂漠、礫砂漠（礫は2ミリ以上の粒からなる）、土砂漠（2ミリ未満の粒）があります。これらの地域から失われた砂が堆積したものが、私たちのよく知る砂砂漠（砂丘）です。長い時間とともに風化しにくい石英や長石の粒でさえ、丸くなっていきます。砂をコーティングする鉄サビの有無、そして鉄サビの色によって砂漠の土の色は大きく変わります。一般的には、乾燥した熱帯域では赤く、乾燥した温帯域では黄色くなります。鉄のコーティングが少なければ、白くなります。

　より細粒質の砂（シルト質）はシリア、イスラエルまで飛来・堆積し、粘土集積土壌になります。地中海沿岸部に多い石灰岩地帯に飛来した砂に含まれる鉄サビは赤くなる傾向があります。これはテラ・ロッサの生成のしくみと同じです。

　砂丘であれば鳥取にもありますが、砂漠土では雨水よりも乾いて失われる水の量が多くなります。蒸発した水に含まれていた塩が地表を覆うと、植物を枯らす塩害の原因となります。しかし、本来失われやすい塩さえも集積しているということは、雨の多い地域では失われがちな栄養分が砂漠土には豊富に含まれていることを示しています。栄養分ではなく雨の少なさが、砂漠が不毛とされる要因なのです。

　地下に眠る水を使ったオアシス農業ではナツメヤシ（デート）が生産され、お好み焼きのオタフクソースになります。これに対し、ナイル川、チグリス川、ユーフラテス川の流域は「肥沃な三日月地帯」と呼ばれ、沖積土（未熟土の一種）の堆積した大規模な灌漑によってコムギの栽培が可能になりました。

　砂漠土では気候変動の影響は甚大です。ホモ・サピエンスがアフリカを出た時期には緑に覆われていた中東ですが、現在は砂漠です。メソポタミア文明の衰退にも、現在のシリアの内戦にも干ばつによる食糧不足が関わっていました。砂漠土は、変化しやすい土でもあります。

■藤井一至

砂漠の嵐作戦でのアメリカ海兵隊のM728戦闘工兵車。地雷処理用のレーキに積もった様子からも砂というよりも黄褐色の土に近いテクスチャーだ。

湾岸戦争の砂漠の嵐作戦時、アリ・アル・サラム空軍基地の近くで撃破されたT-62。撃破されたあと、砂嵐に見舞われたのか、非常にこまかな砂に覆われ埋まってしまっている。

湾岸戦争

●サウジアラビア北端のハフル アル バティンは、湾岸戦争で多国籍軍が攻勢を準備した付近。周囲の砂漠は赤黄色い砂と、クエートと同じ白黄色の砂が見られる。サマワ、バグダッド、キルクークの砂は赤黄色く隙間という隙間にこまかい砂粒が入り込む。またサマワは他にも、黄色みのある灰色の砂も見られる。

ハフル アル バティン1
Hafar Al-Batin 1

キング・ハリド軍事基地がおかれる地域で、湾岸戦争の際には多くのアメリカ軍が駐留した。やや明るい黄色みのあるサンドカラーはWCのライトグレイッシュやアモのサンドで再現できる。

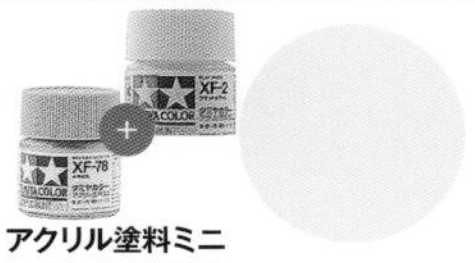

アクリル塗料ミニ
XF-78 木甲板色＋
XF-2 フラットホワイト
●タミヤ

Mr.ウェザリングカラー
ライトグレイッシュ
●GSIクレオス

Mr.ウェザリングペースト
マッドホワイト＋マッドイエロー
●GSIクレオス

ファレホピグメント
デザートダスト
●ファレホ

ネイチャーエフェクト
北アフリカのダスト
●アモ・バイ・ミグヒメネス

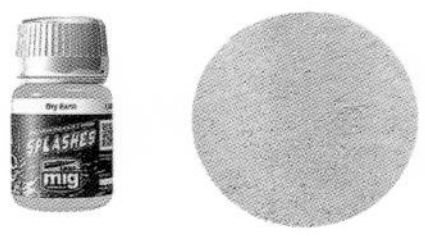

ヘビーマッド
ドライアース
●アモ・バイ・ミグヒメネス

アクリルサンド
砂地
●アモ・バイ・ミグヒメネス

ピグメント
サンド
●アモ・バイ・ミグヒメネス

ハフル アル バティン2
Hafar Al-Batin 2

また、基地周辺ではやや赤みがかった土色も見ることができる。演習写真などでもよく見る色味だろう。タミヤアクリルのフラットフレッシュやWCを下地に、ピグメントで粒子感を演出するといいだろう。

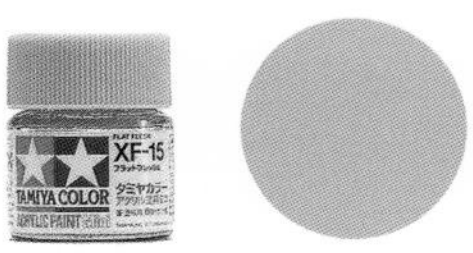

アクリル塗料ミニ／エナメル塗料
XF-15 フラットフレッシュ
●タミヤ

Mr.ウェザリングカラー
ホワイトダスト＋ラストオレンジ
●GSIクレオス

Mr.ウェザリングペースト
マッドイエロー＋マッドレッド
●GSIクレオス

ファレホピグメント
ニューラスト
●ファレホ

ネイチャーエフェクト／ウォッシュ
北アフリカのダスト＋ライトラスト(錆)
●アモ・バイ・ミグヒメネス

スプラッシュ／ウォッシュ
ドライ ステップ＋ライトラスト(錆)
●アモ・バイ・ミグヒメネス

アクリルマッド
乾燥した土／ベトナムグラウンド
●アモ・バイ・ミグヒメネス

ピグメント
レンガダスト
●アモ・バイ・ミグヒメネス

クエート
Kuwait

イラクに一時的に占領された、サウジアラビア北部に位置するクエート。国土はほぼ砂漠気候で、乾燥しやや黄色みのある土が見られる。アモの北アフリカのダストはクエートにも最適な色味だ。

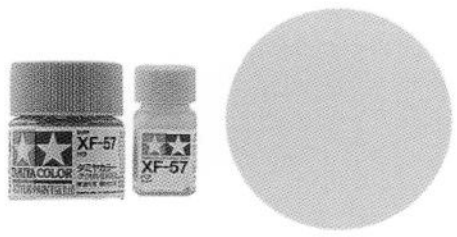

アクリル塗料ミニ／エナメル塗料
XF-57 バフ
●タミヤ

Mr.ウェザリングカラー
ライトグレイッシュ
●GSIクレオス

Mr.ウェザリングペースト
マッドホワイト＋マッドイエロー
●GSIクレオス

ファレホピグメント
デザートダスト
●ファレホ

ネイチャーエフェクト
北アフリカのダスト
●アモ・バイ・ミグヒメネス

スプラッシュ
ドライアース
●アモ・バイ・ミグヒメネス

アクリルサンド
砂地
●アモ・バイ・ミグヒメネス

ピグメント
サンド
●アモ・バイ・ミグヒメネス

イラク戦争

●2003年にアメリカ軍が主体となった有志連合によって開始されたイラク戦争。戦いの舞台であるティクリートはチグリス川沿い、バグダッドはチグリス・ユーフラテス川の中流域、ファルージャはユーフラテス川沿いに位置する都市である。その土壌は大河の運搬した堆積物からなる未熟土が中心で、岩石、石礫、砂、粘土を不規則に含んでいる。

バグダッドの西の都市ファルージャで壁を突破するアメリカ海兵隊のAAV7。車両とブロック塀に付着した砂汚れから赤みのある砂の色がわかる。隊員が乗り降りするたびに降ろされるリアゲートなど、車両の後部が重点的に砂埃を集める。

ティクリート
Tikrit

有名なチグリス川沿いのイラクの都市。イラク戦争においても戦いの舞台となった場所のひとつだ。やや赤みのある灰色の乾燥した土で、タミヤアクリルのバフや、意外にもアモのピグメント、ヨーロッパダストが近い色味。

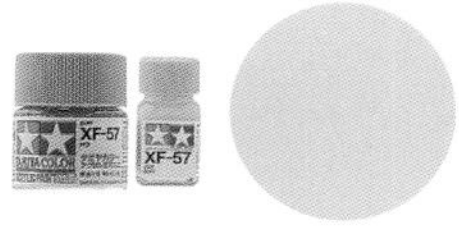

アクリル塗料ミニ／エナメル塗料
XF-57 バフ
●タミヤ

Mr.ウェザリングカラー
サンディウォッシュ
●GSIクレオス

Mr.ウェザリングペースト
マッドホワイト+マッドイエロー
●GSIクレオス

ファレホピグメント
デザートダスト
●ファレホ

ネイチャーエフェクト
北アフリカのダスト
●アモ・バイ・ミグヒメネス

スプラッシュ
ドライアース
●アモ・バイ・ミグヒメネス

アクリルマッド
乾燥した土
●アモ・バイ・ミグヒメネス

ピグメント
ヨーロッパダスト
●アモ・バイ・ミグヒメネス

バグダッド／ファルージャ
Baghdad/Fallujah

イラク戦争の有名な戦いのひとつ、「夜明け作戦」が展開されたファルージャは、バグダッドと同様に少し赤みのある灰色の土が見られる。ティクリートに比べてやや明るめの調色で再現するといいだろう。

アクリル塗料ミニ／エナメル塗料
XF-52 フラットアース+
XF-2 フラットホワイト
●タミヤ

Mr.ウェザリングカラー
サンディウォッシュ
●GSIクレオス

Mr.ウェザリングペースト
マッドホワイト+マッドイエロー
●GSIクレオス

ファレホピグメント
デザートダスト
●ファレホ

ネイチャーエフェクト
北アフリカのダスト
●アモ・バイ・ミグヒメネス

スプラッシュ
ドライアース
●アモ・バイ・ミグヒメネス

アクリルマッド
乾燥した土
●アモ・バイ・ミグヒメネス

ピグメント
ヨーロッパダスト
●アモ・バイ・ミグヒメネス

2004年11月、イラクのファルージャで移動中のアメリカ軍海兵隊のLAV-25。タイヤから跳ね上がった泥水などが付着する車両下部と砂埃が被った上面の色味の違いがわかりやすい。
Photo by Lance Cpl. Daniel J. Klein

2010年7月、イラク、ティクリート。チグリス川沿いにあるこの街の郊外で訓練中に移動する爆発物処理チーム(EODMU)。後部にはクーガー(MRAP) 車両も見える。白い撒かれた砂利は整地用の物だろうが、あらわになっている湿った地面からは草類も多く生えている。
Photo by　Mass Communication Specialist 1st Class Miguel Angel Contreras

ティクリート近郊をパトロールするブラッドレー歩兵戦闘車。イラク戦争では砂埃に覆われた地面以外にも、この画像のように湿った泥道の写真も多く見受けられる。

バグダッド周辺で地雷処理用のローラーを牽引するM88。乾燥した地面と樹木が見える。写真は12月に撮影されたもの。気温は下がるが、乾燥状態はあまり変化していない。

レスター・プラスキット氏のM1A1 TUSK1。バグダットで活躍した姿を再現している。剥がれたような砂埃の表現がすばらしい。

2007年3月イラク北部、キルクーク。シナイのアルバ地区でパトロール中のアメリカ陸軍第35歩兵連隊所属の兵士たち。石油工業で繁栄する重要都市は2003年のイラク戦争時にはクルド人民兵によって解放されるなどさまざまな戦闘が行なわれた街。
Photo by　Tech. Sgt. Maria Bare

サマワの郊外の赤みがある乾いた砂地。なかに大小の石が混ざっている。低地に向かって水が流れた跡も見受けられる。
Photo by Mahdy ayub

2003年4月、イラクのサマワ近くで行動中の第3歩兵師団所属のブラッドレー歩兵戦闘車。第82空挺師団の市内への侵攻作戦が開始される前に準軍組織兵らを市内から一掃する作戦を展開中。兵士が外に出ていることから砂の舞い上がりは銃撃ではなく風によるものだろう。整地されていない乾燥した道路は埃が舞い上がる。
Photoby MSG Andrew Kosterman

サマワ1
Samawah 1

イラク戦争時には日本の自衛隊車両も多数派遣されたイラク南部の都市。灰色で乾燥した土汚れは、アモのライトダストやシナイダストのピグメントで再現できるだろう。

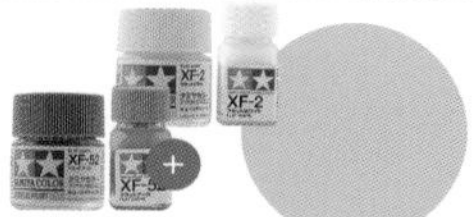

アクリル塗料ミニ／エナメル塗料
XF-52 フラットアース+
XF-2 フラットホワイト
●タミヤ

Mr.ウェザリングカラー
ホワイトダスト+マルチグレー
●GSIクレオス

Mr.ウェザリングペースト
マッドホワイト
●GSIクレオス

ファレホピグメント
ライトシェンナ+チタニウムホワイト
●ファレホ

ネイチャーエフェクト
ライトダスト
●アモ・バイ・ミグヒメネス

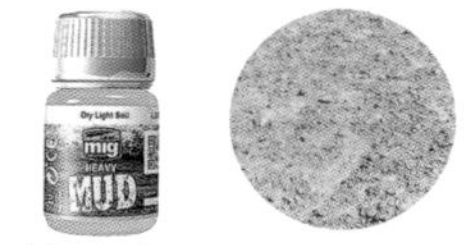

ヘビーマッド
ドライ ライト ソイル
●アモ・バイ・ミグヒメネス

アクリルマッド
乾燥した土
●アモ・バイ・ミグヒメネス

ピグメント
シナイダスト
●アモ・バイ・ミグヒメネス

サマワ2／キルクーク
Samawah 2/Kirkuk

サマワの一部や、石油も多く産出されるイラク北部のキルクークでは、赤みの強い土壌も見られる。WPやファレホのピグメントの混色が適している。自衛隊車両への塗装でも見栄えが期待できる土色だ。

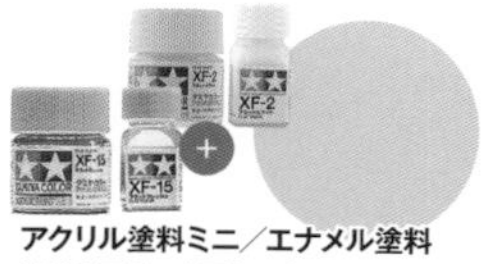

アクリル塗料ミニ／エナメル塗料
XF-15 フラットフレッシュ+
XF-2 フラットホワイト
●タミヤ

Mr.ウェザリングカラー
ホワイトダスト+ラストオレンジ
●GSIクレオス

Mr.ウェザリングペースト
マッドホワイト+マッドレッド
●GSIクレオス

ファレホピグメント
ニューラスト+チタニウムホワイト
●ファレホ

ネイチャーエフェクト／ウォッシュ
北アフリカのダスト+ライトラスト
●アモ・バイ・ミグヒメネス

スプラッシュ／ウォッシュ
ドライ ステップ+ライトラスト
●アモ・バイ・ミグヒメネス

アクリルマッド
乾燥地帯の地面／ベトナムグラウンド
●アモ・バイ・ミグヒメネス

ピグメント
滑走路ダスト
●アモ・バイ・ミグヒメネス

バスラ

●イラク派兵日報の発覚でにわかに注目が集まったイラクのバスラ。全体的に乾燥地帯でありながら、古代より灌漑農業が発達し、豊かな小麦の産地であったことも重要。資料も入手しやすいが、長い歴史のなかで人間が手を加えた、苦闘の歴史が刻まれた土地。そんな詩情が読み取れるような表現によって命を吹き込まれるべき場所である。

バスラ1
Basra 1

イラク戦争でのイギリス軍とイラク軍との戦いが繰り広げられた都市。世界有数の油田地帯でもある。黄色みのある明るい土色で、WCのサンディウォッシュやアモのピグメントのサンドなどが適している。

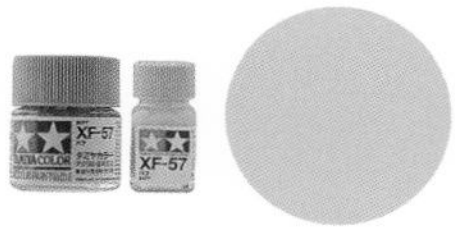

アクリル塗料ミニ／エナメル塗料
XF-57 バフ
●タミヤ

Mr.ウェザリングカラー
サンディウォッシュ
●GSIクレオス

Mr.ウェザリングペースト
マッドホワイト
●GSIクレオス

ファレホピグメント
デザートダスト
●ファレホ

ネイチャーエフェクト
北アフリカのダスト
●アモ・バイ・ミグヒメネス

スプラッシュ
ドライアース
●アモ・バイ・ミグヒメネス

アクリルサンド
砂地
●アモ・バイ・ミグヒメネス

ピグメント
サンド
●アモ・バイ・ミグヒメネス

バスラ2
Basra 2

砂漠のイメージが強いが、意外と土地は肥沃で農業も盛んである。一部でこうした赤みの強い土も見られ、アモの滑走路ダストなどがこれに対応。サンドカラーの車両にはこちらの色がオススメ。

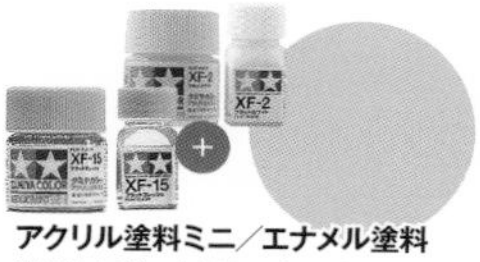

アクリル塗料ミニ／エナメル塗料
XF-15 フラットフレッシュ+
XF-2 フラットホワイト
●タミヤ

Mr.ウェザリングカラー
ホワイトダスト+ラストオレンジ
●GSIクレオス

Mr.ウェザリングペースト
マッドホワイト+マッドレッド
●GSIクレオス

ファレホピグメント
ニューラスト+チタニウムホワイト
●ファレホ

ネイチャーエフェクト／ウォッシュ
北アフリカのダスト+ライトラスト
●アモ・バイ・ミグヒメネス

スプラッシュ／ウォッシュ
ドライ ステップ+ライトラスト
●アモ・バイ・ミグヒメネス

アクリルマッド
乾燥地帯の地面／ベトナムグラウンド
●アモ・バイ・ミグヒメネス

ピグメント
滑走路ダスト
●アモ・バイ・ミグヒメネス

2004年6月、イラク南部の都市アマーラ。イギリス軍の移動式MAMBAレーダーとそれを牽引するBV206。転輪と履帯の汚れ具合と車体の埃汚れの違いはこのような単色迷彩の車両では特にわかりやすい。
Photo by Graeme Main

2004年6月、イラク、バスラ郊外でテリック4作戦に参加中のイギリス軍ののチャレンジャー2。バスラはイラクの南東に位置する都市。乾燥した状態の砂を被った車両は周囲に溶け込むような色味となる。車体前面の増加装甲のNATOグリーンがうっすらと見える程度まで埃で覆われている。
Photo by Graeme Main

クレアンクライ・パオジン氏のチャレンジャー2のダイオラマは、バスラの市街地戦を再現。混沌とした雰囲気が伝わる。

2014年3月のイスラエル、ゴラン高原。赤みの強い地面に春らしい緑が映える。戦車も錆が各所に目立つが、形状はそのままで廃棄車両としては状態が良く見える。
Photo by Zairon

ゴラン高原

●中東戦争におけるイスラエル軍とシリア軍の激戦地がここ。中東戦争という言葉の響きや、イスラエル製AFVが砂漠の運用を考慮してエアコンうんぬん見たいな話ばかり一人歩きして、砂漠の高原地帯が連想されがちだが、実際は両国の水源地帯となっている美しい緑の土地だ。そうでなければ、あれほど激しい争奪戦は起こらない。

ゴラン高原1
Golan Heights 1

イスラエル、レバノン、ヨルダン、シリアの4つの国の国境に面した広大な高原。もっとも赤みの強い土色の再現には、ファレホのオールドラストや、アモのアクリルマッドの混色など濃い色の塗料を選択しよう。

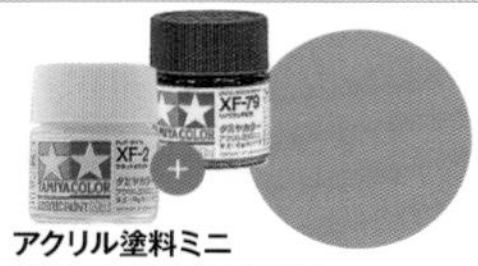

アクリル塗料ミニ
XF-79 リノリウム甲板色＋XF-2 フラットホワイト
●タミヤ

Mr.ウェザリングカラー
マットアンバー＋グレーズレッド
●GSIクレオス

Mr.ウェザリングペースト
マッドレッド
●GSIクレオス

ファレホピグメント
オールドラスト
●ファレホ

ネイチャーエフェクト／ウォッシュ
アース＋ライトラスト(錆)
●アモ・バイ・ミグヒメネス

スプラッシュ／ウォッシュ
ダンプアース＋ライトラスト(錆)
●アモ・バイ・ミグヒメネス

アクリルマッド
暗い泥の地面＋ベトナムアース
●アモ・バイ・ミグヒメネス

ピグメント
ダークアース
●アモ・バイ・ミグヒメネス

ゴラン高原2
Golan Heights 2

上記よりもやや明るめの色調ではあるが、それでも赤みのしっかり感じられる色で塗装したい。わずかに赤茶色を混ぜるのがポイントで、WPであれば、マッドイエローをベースに、わずかにマッドレッドを加えてもいいだろう。

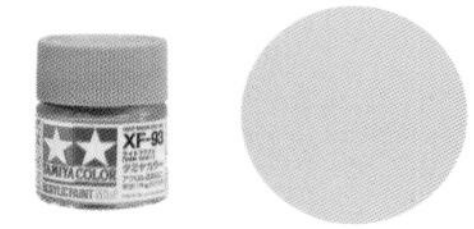

アクリル塗料ミニ
XF-93 ライトブラウン(DAK 1942〜)
●タミヤ

Mr.ウェザリングカラー
オーカーソイル＋ラストオレンジ
●GSIクレオス

Mr.ウェザリングペースト
マッドホワイト＋マッドイエロー
●GSIクレオス

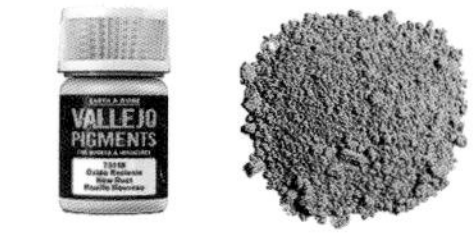

ファレホピグメント
ニューラスト
●ファレホ

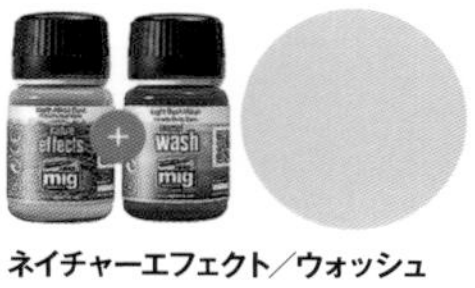

ネイチャーエフェクト／ウォッシュ
北アフリカのダスト＋ライトラスト(錆)
●アモ・バイ・ミグヒメネス

スプラッシュ／ウォッシュ
ドライ ステップ＋ライトラスト(錆)
●アモ・バイ・ミグヒメネス

アクリルマッド
乾燥した土／ベトナムグラウンド
●アモ・バイ・ミグヒメネス

ピグメント
中東ダスト
●アモ・バイ・ミグヒメネス

ゴラン高原3
Golan Heights 3

広大なゴラン高原では、場所によってはこうした明るい色も見ることができる。アモのライトダストや、WPのマッドホワイトのようなグレー系の塗料をベースに、ピグメントで粉っぽさを加えるとよりらしくなる。

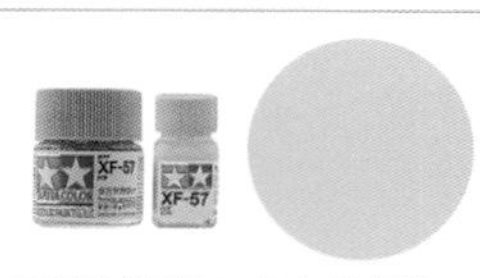

アクリル塗料ミニ／エナメル塗料
XF-57 バフ
●タミヤ

Mr.ウェザリングカラー
ホワイトダスト＋マルチホワイト
●GSIクレオス

Mr.ウェザリングペースト
マッドホワイト
●GSIクレオス

ファレホピグメント
ライトシェンナ＋チタニウムホワイト
●ファレホ

ネイチャーエフェクト
ライトダスト
●アモ・バイ・ミグヒメネス

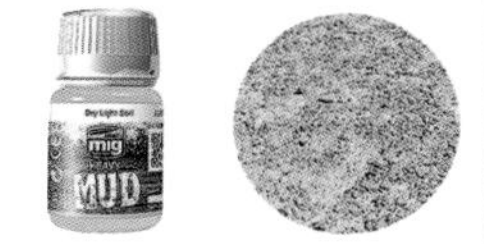

ヘビーマッド
ドライ ライト ソイル
●アモ・バイ・ミグヒメネス

アクリルマッド
乾燥した土
●アモ・バイ・ミグヒメネス

ピグメント
シナイダスト
●アモ・バイ・ミグヒメネス

ゴラン高原で演習中のイスラエル軍のメルカバMk.3D。巻きあげられた砂が車体後部を覆う。車両の平面部分に燃料やオイルなどによって湿った箇所に付着した砂が茶色の染みとなって広い面積で残っていることがわかる。車体前方にエンジンを搭載したメルカバファミリーの戦車ならではの汚れ方ともいえるだろう。
Photo by MathKnight

2017年8月に撮影されたゴラン高原に廃棄されているイスラエル軍のセンチュリオン戦車。標高が高い地域なのか乾燥した地面の状態が見える。
Photo by Benjamín Núñez González

イスラエルのゴラン高原北部、シリアとイスラエルの間にある涙の谷と呼ばれる地域に、ここで行なわれた激しい戦闘を象徴するように残されているシリア軍のT-62戦車。赤い土の汚れも見えるが、車体を覆う錆の色の赤みの方が濃く、違いはすぐに見分けられる。グリーンの部分が少し残っていることにも驚く。
Photo by Jakednb

ゴラン高原の南東部にある休火山の丘、テルサキに廃棄されたイスラエル軍のセンチュリオン。荒々しい地面はいかにも火山灰層が積もった場所らしい。車両自体には汚れがほとんど汚れが見られなず、錆によるダメージのほうが浮き彫りになっている。
Photo by Benjamín Núñez González

平井 真氏のD9Rはゴラン高原での姿をヴィネット化。粒の荒い砂や小石の表現が、いかにもゴラン高原を彷彿させる。

1982年のガリラヤの平和作戦でイスラエルのメルカバMk.1戦車がシリア軍機甲部隊に対して初陣を飾ったベッカー高原。写真は市街地だが土地の色合いや空気感が感じられる一枚だ。

シナイ半島

アラビアとアフリカの狭間、シナイ半島。イスラエルが建国された1948年から1973年までの間に繰り広げられた4度の戦争。そして1982年の6月、イスラエルはパレスチナ解放機構が拠点を置く。レバノンに空軍と共に陸軍を侵攻させた。

ベッカー高原 Bekaa Valley ベイルート1 Beirut 1

レバノンの首都、ベイルートやベッカー高原で見られる赤みの強い土。レバノン内戦や第５次中東戦争の舞台にもなった地域だ。WCの混色やタミヤアクリルのライトブラウンなどが適している。

アクリル塗料ミニ
XF-93 ライトブラウン(DAK 1942～)
●タミヤ

Mr.ウェザリングカラー
ホワイトダスト＋ラストオレンジ
●GSIクレオス

Mr.ウェザリングペースト
マッドイエロー＋マッドレッド
●GSIクレオス

ファレホピグメント
ニューラスト
●ファレホ

ネイチャーエフェクト／ウォッシュ
北アフリカのダスト＋ライトラスト(錆)
●アモ・バイ・ミグヒメネス

スプラッシュ／ウォッシュ
ドライ ステップ＋ライトラスト(錆)
●アモ・バイ・ミグヒメネス

アクリルマッド
乾燥した土／ベトナムグラウンド
●アモ・バイ・ミグヒメネス

ピグメント
中東ダスト＋ベトナムダスト
●アモ・バイ・ミグヒメネス

ベイルート2 Beirut 2

西側の沿岸部や市街地などでは明るい色もよく見られる。赤みよりも黄色っぽい灰色の土色となり、アモの北アフリカのダストやWCのライトグレイッシュ、ピグメントなど選択肢の広い色味だ。

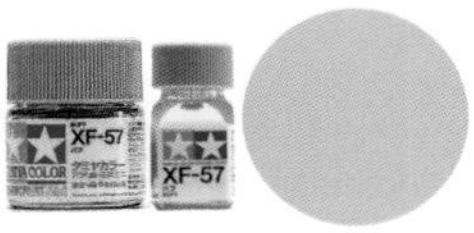
アクリル塗料ミニ／エナメル塗料
XF-57 バフ
●タミヤ

Mr.ウェザリングカラー
ライトグレイッシュ
●GSIクレオス

Mr.ウェザリングペースト
マッドホワイト
●GSIクレオス

ファレホピグメント
デザートダスト
●ファレホ

ネイチャーエフェクト
北アフリカのダスト
●アモ・バイ・ミグヒメネス

スプラッシュ
ドライアース
●アモ・バイ・ミグヒメネス

アクリルサンド
砂地
●アモ・バイ・ミグヒメネス

ピグメント
サンド
●アモ・バイ・ミグヒメネス

ベイルート3 Beirut 3

反対に、黄色みが少なく赤みのしっかりある土も存在する。内戦中の記録写真などでもよく見られる土色だ。赤茶系の塗料に白の塗料を混色するといい。WPのマッドレッドやアモのアース、プライマーレッドに手を加えよう。

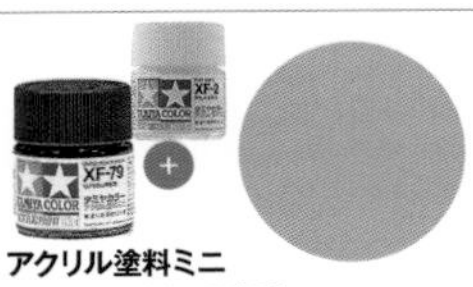
アクリル塗料ミニ
XF-79リノリウム甲板色＋
XF-2 フラットホワイト
●タミヤ

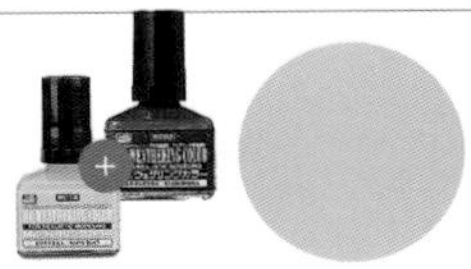
Mr.ウェザリングカラー
ホワイトダスト＋ステインブラウン
●GSIクレオス

Mr.ウェザリングペースト
マッドホワイト＋マッドレッド
●GSIクレオス

ファレホピグメント
ニューラスト
●ファレホ

ネイチャーエフェクト／ウォッシュ
アース＋ライトラスト(錆)
●アモ・バイ・ミグヒメネス

スプラッシュ／ウォッシュ
ダンプアース＋ライトラスト(錆)
●アモ・バイ・ミグヒメネス

アクリルマッド
乾燥した土／ベトナムグラウンド
●アモ・バイ・ミグヒメネス

ピグメント
プライマーレッド＋ホワイト
●アモ・バイ・ミグヒメネス

1982年ガリラヤに平和作戦時のレバノン軍のM113。ベイルート市街から少し離れたところではこの地域らしい赤みの強い地面が現れる。
Photo by James Case from Philadelphia, Mississippi, U.S.A

2009年9月撮影。掘られた陣地に隠れたまま放棄されたレバノン軍のM48パットン。車体上部にはほとんど泥汚れなどはなく、配置されてそれほど時間が経っていなかったのかもしれない。深く掘られた土壌は砂から石まで混ざった状態だ。
Photo by DAVID HOLT

パレスチナ Palestine ヨルダン川西岸 West Bank

パレスチナを中心にヨルダン川西岸地区、さらにイスラエルとの国境付近まで見られる土。明るい色だが、イメージ先行で白くなりすぎないよう注意が必要。ピグメントならライトイエローオーカーや中東ダストがオススメ。

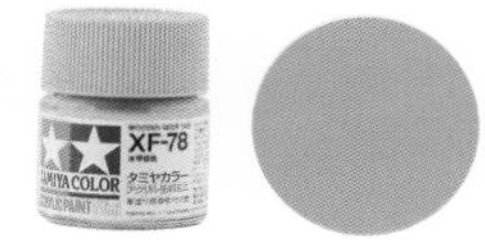

アクリル塗料ミニ
XF-78 木甲板色
●タミヤ

Mr.ウェザリングカラー
ライトグレイッシュ
●GSIクレオス

Mr.ウェザリングペースト
マッドホワイト+マッドイエロー
●GSIクレオス

ファレホピグメント
ライトイエローオーカー
●ファレホ

ネイチャーエフェクト
北アフリカのダスト
●アモ・バイ・ミグヒメネス

ヘビーマッド
ドライ ステップ
●アモ・バイ・ミグヒメネス

アクリルマッド
乾燥地帯の地面
●アモ・バイ・ミグヒメネス

ピグメント
中東ダスト
●アモ・バイ・ミグヒメネス

スエズ Suez シナイ半島 SinaiPeninsula

大戦後は長い中東戦争の舞台となったシナイ半島。多くのイスラエル車両が活躍した土地でもある。タミヤアクリルのバフ+ホワイトや、アモのピグメントのシナイダストはまさにこの土地の土にピッタリだ。

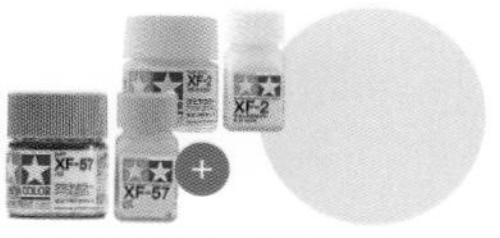

アクリル塗料ミニ/タミヤエナメル
XF-57 バフ+XF-2 フラットホワイト
●タミヤ

Mr.ウェザリングカラー
ホワイトダスト
●GSIクレオス

Mr.ウェザリングペースト
マッドホワイト
●GSIクレオス

ファレホピグメント
デザートダスト
●ファレホ

ネイチャーエフェクト
北アフリカのダスト
●アモ・バイ・ミグヒメネス

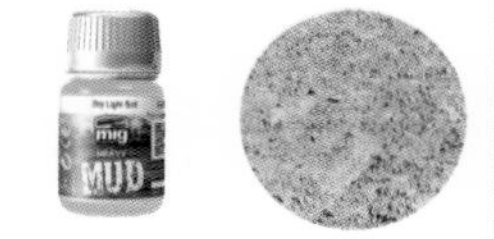

ヘビーマッド
ドライアース
●アモ・バイ・ミグヒメネス

アクリルサンド
砂地
●アモ・バイ・ミグヒメネス

ピグメント
シナイダスト
●アモ・バイ・ミグヒメネス

第三次中東戦争でのイスラエル国防軍のM51スーパーシャーマン。足周りにはしっかりと汚れがこびりつき、車体上面とは違う色味の汚れとなる。地面には車両が残した轍が見て取れる。

ミグ氏のティラン4はサンド系の車体の塗装に同系色の砂埃の色を、巧みにコントラストをつけて再現されている。

シリア

●そもそもパレスチナは、現在のイスラエルを含む古代シリア南部一帯の呼称だ。そのうち地中海とヨルダン川、死海に挟まれたエリアが旧約聖書には「乳と蜜が流れる場所」と書かれたカナンの地で、現在のパレスチナもここにある。しかし現在のパレスチナと聞くと、土地を奪われた難民が押し込められている過酷な土地とイメージされてしまう。

ラッカ Raqqah アレッポ1 Aleppo1

シリア北部の都市ラッカは、シリア内戦で激しい戦闘が繰り広げられ一時ISILにも占拠されていた。黄色みのある灰色の土は、アモのサンドや乾燥地帯の地面がこれに適している。

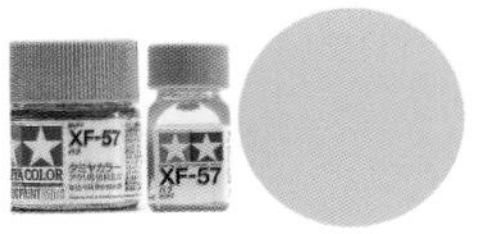

アクリル塗料ミニ／エナメル塗料
XF-57 バフ
●タミヤ

Mr.ウェザリングカラー
ホワイトダスト
●GSIクレオス

Mr.ウェザリングペースト
マッドホワイト
●GSIクレオス

ファレホピグメント
デザートダスト
●ファレホ

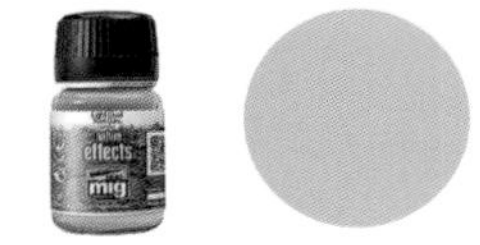

ネイチャーエフェクト
ライトダスト
●アモ・バイ・ミグヒメネス

スプラッシュ
ドライアース
●アモ・バイ・ミグヒメネス

アクリルマッド
乾燥地帯の地面
●アモ・バイ・ミグヒメネス

ピグメント
シナイダスト
●アモ・バイ・ミグヒメネス

アレッポ2 Aleppo 2

シリア北部のとるこトルコとの国境線に近いアレッポ。ここもシリア内戦では激しい紫外線が繰り広げられた都市だ。彩度の低い灰色の土色で、WPのマッドホワイトやアモのコンクリートの色味が近い。

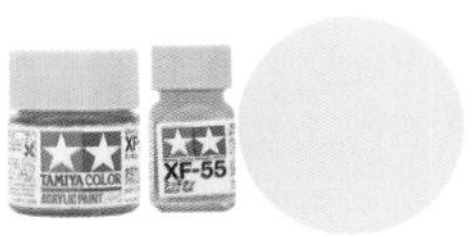

アクリル塗料ミニ／エナメル塗料
XF-55 デッキタン
●タミヤ

Mr.ウェザリングカラー
サンディウォッシュ+マルチグレー
●GSIクレオス

Mr.ウェザリングペースト
マッドホワイト
●GSIクレオス

ファレホピグメント
ライトシェンナ+チタニウムホワイト
●ファレホ

ネイチャーエフェクト
ライトダスト
●アモ・バイ・ミグヒメネス

ヘビーマッド
ドライ ライト ソイル
●アモ・バイ・ミグヒメネス

アクリルマッド
乾燥した土
●アモ・バイ・ミグヒメネス

ピグメント
コンクリート
●アモ・バイ・ミグヒメネス

アレッポ3 Aleppo 3

市街地から離れ郊外にいくと土色は一変し、赤みの強い土壌が広がっている。タミヤアクリルのリノリウム甲板色のような赤みの強いものや、ファレホのダークレッドオーカーなどをベースに再現していこう。

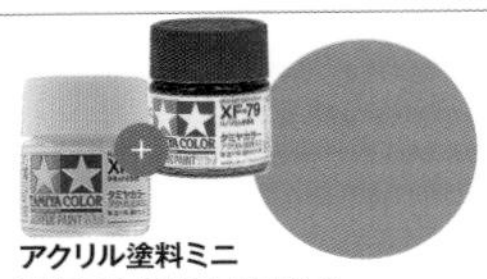

アクリル塗料ミニ
XF-79 リノリウム甲板色+
XF-2 フラットホワイト
●タミヤ

Mr.ウェザリングカラー
グレイッシュブラウン+グレーズレッド
●GSIクレオス

Mr.ウェザリングペースト
マッドレッド
●GSIクレオス

ファレホピグメント
ダークレッドオーカー+チタニウムホワイト
●ファレホ

ネイチャーエフェクト／ウォッシュ
アース+ライトラスト(錆)
●アモ・バイ・ミグヒメネス

スプラッシュ／ウォッシュ
ダンプアース+ライトラスト(錆)
●アモ・バイ・ミグヒメネス

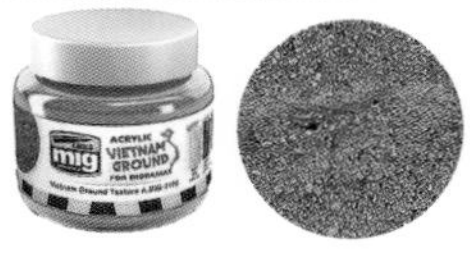

アクリルマッド
ベトナムアース
●アモ・バイ・ミグヒメネス

ピグメント
プライマーレッド+ホワイト
●アモ・バイ・ミグヒメネス

2017年1月に撮影されたアレッポ旧市街。シリア第2の都市も内戦の影響を強く受けている。道路は舗装されているようだが、崩れた建物の残骸と流れ出した泥で覆われ元の状態が想像できない程だ。
Photo by VOA

2020年3月撮影シリア北部の都市アレッポ。世界遺産として登録されている古代都市でもあるアレッポ、その中心ある古いアル・ハタブ広場を撮影した画像。内戦状態のシリアではこのような歴史的地域や建造物が爆撃などで大打撃を受けた。
Photo by tao2017

クレアンクライ・パオ ジンダ氏作のT-55AMV。シリア内戦時の、砂埃や建物の瓦礫にまみれた様子が単品ながら伝わる。

首都ダマスカス、ジョバル自治区で行動中のシリア軍T-72。かろうじて下地のグリーン系の迷彩がわかるぐらい砂埃をかぶっている。積まれた土嚢の緑も模型で再現するといいコントラストとなる。

シリア、ホムス県の南部にあるアルタンフ基地内で射撃訓練をする新シリア軍の兵士。基地はヨルダン、イラク両国との国境近くだ。赤みの強い土壌がわかる。

シリア北東部、トルコ国境付近のカーミシュリー市。検問を警備するM-ATVの下部の汚れと上部の車体色の色味の違いが見て取れる。

ホムス
Homs

ややシリアの内陸部に位置するホムスは、南北を繋ぐ交通の要所である。シリア内戦でもホムスの包囲戦が行なわれた都市だ。やや赤みのある土色はタミヤアクリルやWCの混色で再現がしやすい。

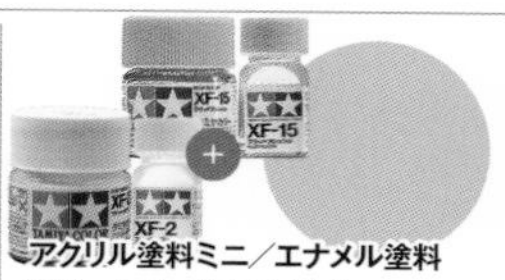

アクリル塗料ミニ／エナメル塗料
XF-2　フラットホワイト＋
XF-15 フラットフレッシュ
●タミヤ

Mr.ウェザリングカラー
サンディウォッシュ＋グレーズレッド
●GSIクレオス

Mr.ウェザリングペースト
マッドホワイト＋マッドレッド
●GSIクレオス

ファレホピグメント
ニューラスト
●ファレホ

ネイチャーエフェクト／ウォッシュ
北アフリカのダスト＋ライトラスト
●アモ・バイ・ミグヒメネス

スプラッシュ／ウォッシュ
ドライ ステップ＋ライトラスト
●アモ・バイ・ミグヒメネス

アクリルマッド
乾燥地帯の地面／ベトナムグラウンド
●アモ・バイ・ミグヒメネス

ピグメント
レンガダスト＋ホワイト
●アモ・バイ・ミグヒメネス

ダマスカス
Damascus

シリアの首都であるダマスカスでは、たびたび市民と軍隊の衝突が起き、内戦中の痕跡がいまも市街地には残っている。黄色みが強い明るい土色はアモの北アフリカのダストやサンドで再現しよう。

アクリル塗料ミニ
XF-78 木甲板色＋
XF-2 フラットホワイト
●タミヤ

Mr.ウェザリングカラー
サンディウォッシュ
●GSIクレオス

Mr.ウェザリングペースト
マッドホワイト＋マッドイエロー
●GSIクレオス

ファレホピグメント
ライトイエローオーカー
●ファレホ

ネイチャーエフェクト
北アフリカのダスト
●アモ・バイ・ミグヒメネス

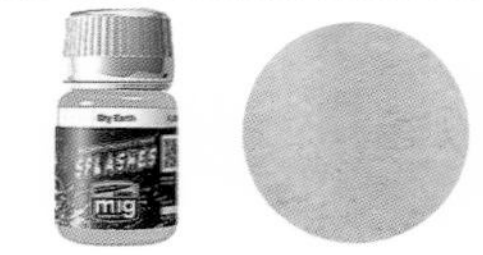

ヘビーマッド
ドライアース
●アモ・バイ・ミグヒメネス

アクリルサンド
砂地
●アモ・バイ・ミグヒメネス

ピグメント
サンド
●アモ・バイ・ミグヒメネス

イドリブ
Idlib

肥沃な土壌のおかげで多くの作物が作られており、とくにオリーブが有名。内戦中のイドリブの戦いの舞台でもある。赤みのある濃い灰色の土色で、WCのグレイッシュブラウンやアモのピグメントの瓦礫が適している。

アクリル塗料ミニ／エナメル塗料
XF-2 フラットホワイト＋
XF-64 レッドブラウン
●タミヤ

Mr.ウェザリングカラー
グレイッシュブラウン
●GSIクレオス

Mr.ウェザリングペースト
マッドホワイト＋マッドレッド
●GSIクレオス

ファレホピグメント
ダークイエローオーカー
●ファレホ

ネイチャーエフェクト
ライトダスト＋アース
●アモ・バイ・ミグヒメネス

ヘビーマッド
モイスト グランド
●アモ・バイ・ミグヒメネス

アクリルマッド
明るい色の地面
●アモ・バイ・ミグヒメネス

ピグメント
瓦礫
●アモ・バイ・ミグヒメネス

アフガニスタン

●アフガニスタンは、降水量の多くを冬季の積雪に依存するステップ気候（カブール）～砂漠地帯（カンダハール）に属し、山岳砂漠地帯が多いため、渓谷や盆地で水利が確保できる場所にしか都市が成立できない。カブールは盆地、カンダハールは平坦な砂漠地帯だが、河川の集まる場所である。土壌は沖積性の未熟土であり、周辺の山岳地帯から削られた粗い土砂を多く含んでいる。

ソ連軍によるアフガニスタン侵攻のときの激戦地であるパンジシール谷にいまも残るソ連軍のBRDM。1989年に紛争が終結してから放置されているわりに保存状態がよいのは気候のおかげといえるだろう。

2008年3月、アフガニスタン、クナル州。敵武装勢力が潜むとされた村で行動中のアメリカ陸軍第2/503空挺歩兵大隊所属の兵士。積み上げられた石壁は泥で固められている。兵士が纏うACUと呼ばれる戦闘服は中東やアフガニスタンのような南アジア地域に似合ったUCP柄の迷彩だ。
Photo by　US Army Africa

パンジシール
Panjshir
クナル
Kunar

パンジシールはアフガニスタン紛争でソ連軍から度重なる侵攻作戦が行なわれた土地だ。山岳地帯に位置し、土色も彩度の低い灰色だ。アモのライトダストや、ドライライトソイルがこれに近い。

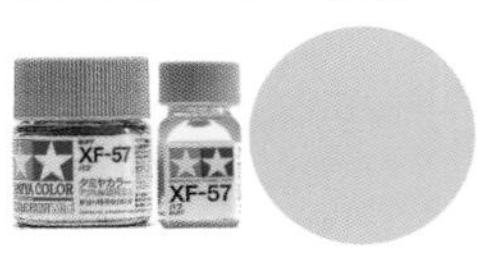
アクリル塗料ミニ／エナメル塗料
XF-57 バフ
●タミヤ

Mr.ウェザリングカラー
サンディウォッシュ+マルチグレー
●GSIクレオス

Mr.ウェザリングペースト
マッドホワイト
●GSIクレオス

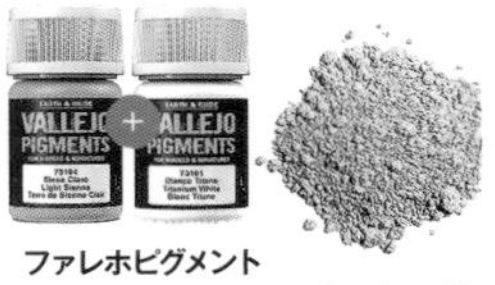
ファレホピグメント
ライトシェンナ+チタニウムホワイト
●ファレホ

ネイチャーエフェクト
ライトダスト
●アモ・バイ・ミグヒメネス

ヘビーマッド
ドライ ライト ソイル
●アモ・バイ・ミグヒメネス

アクリルマッド
乾燥した土
●アモ・バイ・ミグヒメネス

ピグメント
シナイダスト
●アモ・バイ・ミグヒメネス

カブール
Kabul

アフガニスタンの首都カブールはソ連軍のアフガン侵攻や内戦・紛争の絶えない地域である。こちらの土色はやや赤みを帯びており、WCの混色やファレホのヨーロピアンアースと白を併用するといいだろう。

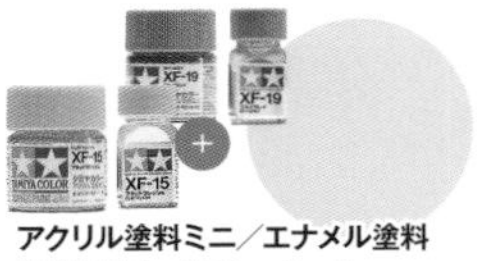
アクリル塗料ミニ／エナメル塗料
XF-15 フラットフレッシュ+
XF-19 スカイグレイ
●タミヤ

Mr.ウェザリングカラー
ホワイトダスト+ステインブラウン
●GSIクレオス

Mr.ウェザリングペースト
マッドホワイト+マッドレッド
●GSIクレオス

ファレホピグメント
ヨーロピアンアース+チタニウムホワイト
●ファレホ

ネイチャーエフェクト／ウォッシュ
北アフリカのダスト+ライトラスト
●アモ・バイ・ミグヒメネス

スプラッシュ／ウォッシュ
ドライ ステップ+ライトラスト
●アモ・バイ・ミグヒメネス

アクリルマッド
乾燥した土／ベトナムグラウンド
●アモ・バイ・ミグヒメネス

ピグメント
滑走路ダスト
●アモ・バイ・ミグヒメネス

アフガニスタンのバグラム空軍基地近辺で廃棄されているT-54。
Photo by PH1 (SW) ARLO K. ABRAHAMSON, USN

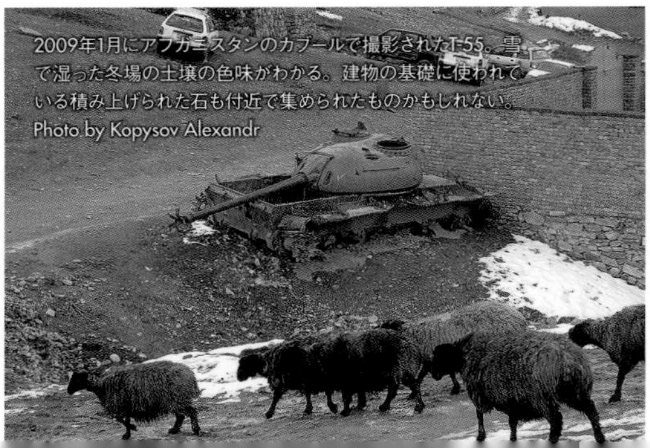
2009年1月にアフガニスタンのカブールで撮影されたT-55。雪で湿った冬場の土壌の色味がわかる。建物の基礎に使われている積み上げられた石も付近で集められたものかもしれない。
Photo by Kopysov Alexandr

2008年3月、アフガニスタン、クナル州内の村で周囲警戒中のアメリカ陸軍、第2/503空挺歩兵大隊、第1小隊所属の衛生兵。目線の先には緑の畑のような平地が広がり、その奥には非常に険しい山がそそり立つ。
Photo by　US Army Africa

ウルグン
Urgun
カンダハール
Kandahar

ウルグンはソビエトのアフガニスタン侵攻での激戦地で、いまも荒廃した場所が広がっている。黄色みのある灰色の土は、タミヤアクリルのバフやWCのサンディウォッシュ、アモのドライアースで再現できる。

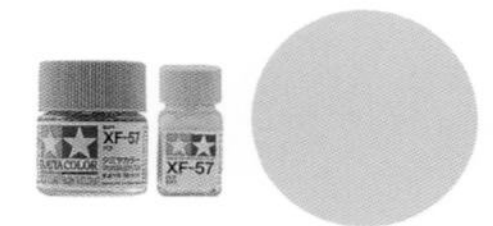

アクリル塗料ミニ／エナメル塗料
XF-57 バフ
●タミヤ

Mr.ウェザリングカラー
サンディウォッシュ
●GSIクレオス

Mr.ウェザリングペースト
マッドホワイト
●GSIクレオス

ファレホピグメント
デザートダスト
●ファレホ

ネイチャーエフェクト
北アフリカのダスト
●アモ・バイ・ミグヒメネス

スプラッシュ
ドライアース
●アモ・バイ・ミグヒメネス

アクリルサンド
砂地
●アモ・バイ・ミグヒメネス

ピグメント
サンド
●アモ・バイ・ミグヒメネス

ヘルマンド州
Helmand

タリバン掃討作戦でも有名なヘルマンド州。農業が盛んな地域だが、レアアースも多く埋蔵しているという。WCのサンディウォッシュに少量のグレーズレッドを混色、もしくはタミヤアクリルの混色でも再現可能だ。

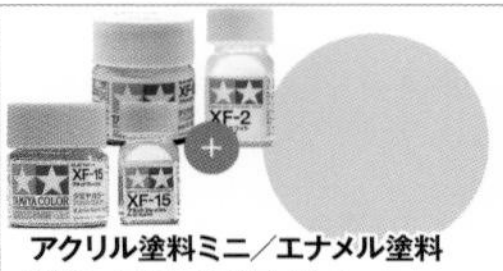

アクリル塗料ミニ／エナメル塗料
XF-2　フラットホワイト＋
XF-15 フラットフレッシュ
●タミヤ

Mr.ウェザリングカラー
サンディウォッシュ＋グレーズレッド
●GSIクレオス

Mr.ウェザリングペースト
マッドホワイト＋マッドレッド
●GSIクレオス

ファレホピグメント
ニューラスト＋チタニウムホワイト
●ファレホ

ネイチャーエフェクト／ウォッシュ
北アフリカのダスト＋ライトラスト
●アモ・バイ・ミグヒメネス

スプラッシュ／ウォッシュ
ドライ ステップ＋ライトラスト
●アモ・バイ・ミグヒメネス

アクリルマッド
乾燥地帯の地面／ベトナムグラウンド
●アモ・バイ・ミグヒメネス

ピグメント
滑走路ダスト
●アモ・バイ・ミグヒメネス

2010年2月、アフガニスタン、ヘルマンド州の運河に仮橋を架けるアメリカ軍海兵隊第2戦闘工兵大隊中隊の850JRクローラードーザー。アフガニスタンの土壌の乾燥状態から湿気を保った状態など、さまざまな色味が見受けられる。Photo by ISAF Headquarters Public Affairs Office from Kabul, Afghanistan

2011年2月、アフガニスタン、カンダハル州パンジュワイ地区で警戒中のアメリカ軍特殊作戦部隊の兵士。高速で移動したことがわかるような車両の汚れ方に注目。道にも水たまりなどがあり、色々な状態の泥汚れが車両に付着することがわかる。Photo by Pfc. Devon Popielarczyk

2013年9月、アフガニスタン、ヘルマンド州。丘に上がり休息をとるアフガニスタン国家治安部隊の兵士。アメリカ海兵隊が使用する補給ルートとして作られた道の周囲では掘り起こされた地盤からさまざまな大きさや形状の石が見て取れる。

次ページから紹介のクレアンクライ・パオジンダ氏のダイオラマは、アフガニスタンの気候風土や地形を象徴した作品。

泥表現Tips 05

DAMP SOIL SPOT

地域色を感じさせるダイオラマ

情景作品で歴史的イベントを再現するにあたり、場所の設定や歴史的背景を鑑賞者に理解させる必要がある。戦場を再現することがおもな戦車模型の情景は、環境の色味や地質がその戦場の説明となることが多々ある。このパオジンダ氏の情景はアフガニスタンの山岳地帯での戦争ということをひと目で理解させる、グランドワークの見事なお手本といえるだろう。

クレアンクライ・パオジンダ氏製作のソビエト軍 BTR-70 初期型。アフガニスタン侵攻時、ロシア軍が破棄した車両を再現したもので、このような車両はアフガニスタンに無数に放棄されたままになっている。

BTR-70

1985 Afghanistan

酷使された車両と砂埃の表現

環境に強い影響を受ける車両たち。情景の色味と合わせたウェザリングはもちろん、その車両の状態に合わせた塗装方法やダメージ表現が必要となるのだ。ここではダメージを受け、破棄されて時間が経ったBTR-70を作る。

1 パンクした状態のタイヤを自作。キットに付属するタイヤの接地面をカッターで切って破き、なかにエポキシパテを詰め込んで固まるまで平面に押し付けておく。パテが硬化するとパンクしたままの形状で保持される。

2 工作が終わった部品はいちど石鹸水で洗って乾燥後に、数色のサビ色を使ってランダムに塗装。サビ色が乾燥したら、アモの剥がし液を全体にエアブラシで吹き付けた。

3 剥がし液が乾燥後したら、資料などをもとにインテリア各部から塗装をはじめる。床や搭乗員がよくく触れる場所を選択してチッピングをする。強弱をつけて行なうとよいだろう。

4 車内もウェザリングはアモ製のエナメル系マテリアルとピグメントなどを使用。とくにヘビーマッドシリーズのシックソイルは溜った泥汚れ再現に最適。

5 エンジンデッキ周辺はオイル汚れに付着した埃汚れを再現。アモ製のエンジングの汚れをデッキ平面に塗り、フレッシュエンジンオイルで垂れたオイルを描き込む。

1 車体全体もエナメル系塗料を使用して褪色した迷彩やサビなどを再現。履帯用ウォッシュを使ってスミ入れを施し、黄色系のエナメル系塗料は足周りに使用し、ダイオラマの地面の色味と合わせる。先ほどのタイヤのパンク表現やチッピングと相まって、時間が経過した姿が再現できた。

ネイチャーエフェクト
・北アフリカのダスト
ウォッシュ
・ライトラストウォッシュ
・履帯用ウォッシュ
・ドイツアフリカ軍団用ウォッシュ
ストリーキング
・ストリークサビ効果
ヘビーマッド
・ドライ ステップ
・ウェットマッド

2 戦闘員たちが乗り込むするピックアップトラックも基本的には軍用車両と同じ塗装方法。長い時間廃棄されているBTRほどではないがこまかいチッピングなどを施すので、下地はブラウン系の色で下地を作りアモので車体全体を塗装する。

3 資料を参考に、1984年ごろの実車の塗装パターンを採用。比較的新しめの民間系車両は当時のカタログなどの資料がWebで手に入るので活用したい。オレンジのラインはマスキングテープを使って塗り分けた。

4 水で塗膜を湿らせた後、アモの真ちゅう製爪楊枝をつかって荷台のフロアとリアゲートをチッピング。荷下ろしなどで激しく塗装が劣化するはずなので、大胆に塗装を剥がしても不自然ではないだろう。

5 アモの油彩系マテリアルであるオイルブラッシャーを数種類使って車体の褪色した基本塗装を表現。自然なホコリ汚れや、流れ出したサビなどの演出を加えることも可能だ。

6 車両へのスパッタリングはストラクチャーの汚しに使ったものと同じスプラッシュシリーズを筆に含ませて、エアブラシのエアーを使って行なう。

7 ピックアップトラックをベースに配置する前に、フィギュアを載せて固定する。車両の最終的なウェザリングを一緒に行なうことで。車両とフィギュアの一体感が増す。

情景のアクセサリーとグランドワークを仕上げる

情景に登場する人物やアクセサリーもその作品を説明する重要な要素。資料を参考にしながら武器や服装、その地域に合ったストラクチャーなど、設定と矛盾したポイントがないように注意して製作しなければならない。

1 羊はスタイロフォームで基本形状を作りエポキシパテで頭部や足を製作。ポーズも同じようにならないよう注意する。

2 羊と飼い主の完成状態。塗装はすべて水性アクリル系塗料を使用している。ウェザリングとまではいかないが、羊たちも埃や土などで汚れるので、陰などしっかり強調して塗装するとそれらしくなるだろう。

3 子供たちのフィギュアはマスターボックス製のものを改造して使用。パテなどで服のディテールを追加しているが、基本的にはそのまま使用している。

4 情景に登場する民間人はアイキャッチ的要素となるように、カラフルな色味を使って塗装する。各フィギュアで柄や色味がワンパターンにならないように気をつけよう。

5 アフガニスタンの戦士たち。民間人とは違い明度を抑えて塗装。情景の登場人物にもコントラストを付けておくと情景上でのそれぞれの役割がわかりやすくなる。アモのアクリル系塗料で塗装。

6 グラウンドワークの基礎はアモ製のアクリルマッドの乾燥した土。さまざまなサイズの石を散りばめ、さらに完全乾燥する前にはキットのタイヤを使って轍を再現する。

7 村の小屋の壁はスタイロフォームに窪みを作り石を埋め込み木工用ボンドで固定。砂を混ぜた壁の補修材を上塗りして再現した。補修材が乾燥したら屋根の製作。バルサや削った木製の棒などを使った。アフガニスタンのシンプルな建物の画像などを資料として製作。

8 建物の工作が終わり土の色をアクリル系塗料でエアブラシ塗装。細部はエナメル系料でフィルターをかけて表情を付ける。細部は筆で塗り分ける。

9 配置場所を決定して固定されたフィギュアたち。ピグメントで靴などを汚して地面と馴染ませる。情景になじませる車両たちと同じように必須の工程だ。

泥表現Tips 05
DAMP SOIL SPOT

Soviet-Afghan war

Panjshir Valley 1980-1985

アフガニスタンの首都カブールから北に150kmほど離れたパンジシール渓谷。そこはソ連軍と戦うムジャーヒディーンの隠れ家として絶好の場所。それはソ連軍も認識しており、紛争の前期〜中期にあたる1980年から85年の間、16度もの攻撃をこの地域に仕掛けたが地域全体の制圧には至らず、ソ連軍は失敗した作戦の跡を渓谷各所に残して撤退したのだ。この情景に登場するBTRはまさにソ連が残していった"跡"だ。私はこの歴史を再現したく渓谷の入り口近くの村落という設定で情景を製作した。
（クレアンクライ・パオジンダ）

パンジール渓谷の色味は一般的なサンド色だが、若干の彩度を下げた色にするとそれらしくなる。また、この色をベースとしたさまざまな岩や小石を配置して、グランドワークにも凝って表現したいところだ。

Soviet-Afghan war

Panjshir Valley 1980-1985

土が決め手の泥試合

戦車はみんな泥だらけ●じゃあその泥はどんな色、どうやって塗るの!?

土が決め手の泥試合
戦車はみんな泥だらけ　じゃあその泥はどんな色、どうやって塗るの!?

編　　集　月刊アーマーモデリング 編集部
（佐藤南美・野原慎平・堀 和貴・塩飽多聞）

デザイン　海老原剛志

発 行 日　2021年 1月 24日　初版第1刷

発 行 人　小川光二

発 行 所　株式会社 大日本絵画
〒101-0054 東京都千代田区神田錦町1丁目7番地
Tel. 03-3294-7861（代表）　URL. http://www.kaiga.co.jp

企画・編集　株式会社 アートボックス
〒101-0054 東京都千代田区神田錦町1丁目7番地　錦町一丁目ビル4F
Tel. 03-6820-7000（代表）　Fax. 03-5281-8467　URL. http://www.modelkasten.com/

印　　刷　大日本印刷株式会社
製　　本　株式会社ブロケード

Special thanks

藤井一至
山城雅也
吉岡和哉
吉田伊知郎
平井 真
八部将嘉
川瀬貴之
ミグ・ヒメネス
クレアンクライ・パオジンダ
レスター・プラスキット
ロジャー・ハークマンス
ルシアーノ・ロドリゲス
（順不同・敬称略）

◎内容に関するお問い合わせ先：03（6820）7000　㈱アートボックス　◎販売に関するお問い合わせ先：03（3294）7861　㈱大日本絵画
Publisher: Dainippon Kaiga Co., Ltd.　Kanda Nishiki-cho 1-7, Chiyoda-ku, Tokyo 101-0054 Japan　Phone 81-3-3294-7861　Dainippon Kaiga URL. http://www.kaiga.co.jp

Editor: ARTBOX Co.,Ltd.　Nishikicho 1-chome bldg., 4th Floor, Kanda Nishiki-cho 1-7, Chiyoda-ku, Tokyo 101-0054 Japan　Phone 81-3-6820-7000　ARTBOX URL: http://www.modelkasten.com/

ISBN978-4-499-23309-5